MEDITAÇÕES

MARCO AURÉLIO

MEDITAÇÕES

EDIÇÃO ESPECIAL COM PREFÁCIO DE
LÚCIA HELENA GALVÃO MAYA

Camelot
EDITORA

CONHEÇA NOSSOS LIVROS
ACESSANDO AQUI

Título original: Τὰ εἰς ἑαυτόν, Ta eis heautón

2ª Impressão 2022

Presidente: Paulo Roberto Houch
MTB 0083982/SP

Coordenação Editorial: Priscilla Sipans
Coordenação de Arte: Rubens Martim
Tradução e preparação de texto: Fábio Kataoka
Revisão: Valéria Paixão
Diagramação: Rogério Pires
Capa: Rubens Martim

Vendas: Tel.: (11) 3393-7723 (vendas@editoraonline.com.br)

Impresso no Brasil.
Foi feito o depósito legal.

Dados Internacionais de Catalogação na Publicação (CIP)
(eDOC BRASIL, Belo Horizonte/MG)

Marco Aurélio, Imperador de Roma, 121-180.
M321m Meditações / Marco Aurélio. – Barueri, SP: Camelot, 2021.
15,5 x 23 cm

ISBN 978-65-87817-67-5

1. Filosofia antiga. 3. Estóicos. I. Título.
CDD 188

Elaborado por Maurício Amormino Júnior – CRB6/2422

Direitos reservados à
IBC — Instituto Brasileiro de Cultura LTDA
CNPJ 04.207.648/0001-94
Avenida Juruá, 762 — Alphaville Industrial
CEP. 06455-010 — Barueri/SP
www.editoraonline.com.br

Sumário

Prefácio

O imperador romano Marco Aurélio Antonino nasceu em 26 de abril de 121 d. C. e foi educado pelos melhores mestres em retórica e filosofia. Pertencia a uma família rica e politicamente influente. Foi um aluno sério e dedicado, despertando a atenção e admiração do então imperador Adriano, que costumava chamá-lo de "veríssimo", por seu grande amor à verdade. Foi admitido no Colégio dos Sálios, o que significava uma grande honra, ainda aos oito anos de idade. Segundo nos conta o historiador Pierre Grimal, em uma ocasião, quando se fazia, neste Colégio, uma homenagem ao deus Marte atirando-lhe coroas de flores, a coroa lançada pelo Marco Aurélio ainda menino encaixou tão bem na fronte da estátua do deus como se ali tivesse sido cuidadosamente colocada, o que foi considerado um sinal auspicioso sobre seu futuro.

Após a morte de seu sucessor escolhido, Lúcio Cômodo, o imperador Adriano adotou Antonino Pio como seu novo sucessor, e pediu que este adotasse Marco Aurélio e o filho de seu sucessor anterior, Lúcio Vero. Marco Aurélio foi cônsul em três ocasiões e casou-se, em 145, com a filha do imperador Antonino Pio, Faustina. Tornou-se o braço direito do imperador na gestão dos assuntos do Império.

Em 161, com a morte de Antonino Pio, Marco Aurélio assume o trono com Lúcio Vero, tendo este último falecido em 169. Guerras contra partas e germanos, enchente do rio Tibre, peste trazida pelas legiões da Síria para Roma, com grande mortandade, e traição de um de seus melhores generais, Avídio Cássio, com suspeitas de cumplicidade por parte de sua esposa Faustina, marcaram o tumultuado período de seu reinado, mas Marco Aurélio, quarto imperador dos Antoninos, apesar de todas as adversidades, ficou marcado na história como excelente líder e legislador, assim como justo e misericordioso para com seus inimigos.

Ele virá a morrer em 180, com 58 anos de idade, em sua tenda, durante uma campanha contra os marcomanos. Foi o último dos chamados "cinco bons imperadores", imortalizado pela imagem que possuía já em vida, de "Imperador filósofo".

Além de suas *Meditações*, exortações morais dirigidas a si mesmo, redigidas nos intervalos entre as batalhas, em sua tenda militar, ele deixa cartas que tratam sobretudo de retórica trocadas com seu professor estimado, o gramático Marco Cornélio Frontão.

Não podemos dizer que suas *Meditações* sejam uma espécie de diário convencional, pois nada de cotidiano é registrado ali, e sim os acidentes de sua vida interior: o possível desânimo e cansaço, as eventuais decepções e abatimentos são energicamente combatidos por uma postura de coragem, responsabilidade e compromisso ante a vida, sustentada por valores sólidos.

Marco Aurélio demonstra uma frequente rejeição a tudo aquilo que é ilusório, que afasta o ser humano da busca pelo verdadeiro e permanente, além de um estado de constante apreciação e aprendizado diante dos acontecimentos. Essa busca da realidade é acompanhada de uma intuição mística de um mundo totalmente dotado de sentido e cujas dificuldades buscam aperfeiçoar o ser humano. Confiar na vida e em si próprio e comprometer-se fortemente com preceitos morais que são as bases de seu caráter e dignidade são, para ele, as metas daquele que honra sua condição humana.

Mas deixemos Marco Aurélio falar por si próprio. A reflexão sobre alguns dos mais marcantes momentos da obra que aqui se introduz são uma forma de evocá-lo a estar diante de nós, apresentando a tônica de seu pensamento e sua vida, exemplarmente coerentes um com a outra, como cabe a um filósofo estoico. Não nos esqueçamos de que estamos diante do pensador que encerra historicamente a chamada "tríade de ouro" do Estoicismo greco-latino, constituída por Sêneca, o estadista e escritor, Epiteto, o escravo, e Marco Aurélio, o imperador.

Logo em seu primeiro capítulo, Marco Aurélio tece uma longa lista de agradecimentos a todos aqueles, homens e deuses, que lhe permitiram aprender as virtudes essenciais para seu amadurecimento. Mais do que os nomes em si, vale a pena observar a lista de virtudes e oportunidades elencadas por ele e

AOS HOMENS	Hábitos moderados, doçura no trato, piedade, ausência de ideias maldosas, simplicidade, resistência, iniciativa, discrição, desprezo a futilidades e a superstições, franqueza, amor à Filosofia, bom caráter, capacidade de perdão e reconciliação, liberdade de espírito, firmeza, bom ânimo, paciência, benevolência, solicitude, humildade, domínio da cólera e das paixões, cultura sem pedantismo, discernimento, atenção aos amigos e amor aos mestres, amor à verdade e à justiça, generosidade, cordialidade, amor ao trabalho, brandura, modéstia, parcimônia em gastos, não gostar de bajulações nem buscar reconhecimento, sobriedade, energia, reflexão.
AOS DEUSES	Boa família, bons amigos e mestres que lhe ensinaram o que se fez necessário na vida, lições transmitidas através da vida, condições de ajudar os necessitados, proteção contra os sofistas na juventude.

pelas quais se mostra grato, o que constitui uma receita preciosa de aprendizados para consolidar um nobre caráter e valores elevados. Senão, vejamos a que e a quem ele agradece:

Penso que seria apropriado tomarmos esta tabela de Marco Aurélio e imaginarmos se não houve, em nossas vidas, pessoas, circunstâncias e oportunidades de aprender exatamente estes mesmos valores, que não foram bem apreciadas e aproveitadas por nós. Importante ressaltar que, para Marco Aurélio, as pessoas nos ensinam quer por suas virtudes, quer pela ausência delas, pois esta ausência nos faz perceber de maneira mais clara e visível o grande vácuo que elas produzem, e as consequências práticas que daí decorrem.

Realmente não penso que a vida de Marco Aurélio tenha lhe trazido experiências tão extraordinárias e fora do comum para a maior parte dos homens; penso que extraordinária era a sua capacidade de aprendizado diante de tudo o que lhe acontecia, com sua humildade de saber-se ignorante e seu ânimo de aprendiz constante, levado a todos os caminhos que ele percorria.

Alguns trechos de sua obra:

Livro 2, 5: *"Realize cada ato como se fosse o último de sua vida, evitando todo sofrimento irrefletido, toda transgressão apaixonada das leis e da razão, toda dissimulação, toda vaidade, toda revolta contra o destino."*

A ideia de que, ao imaginarmos ser este o último dia de nossas vidas, daremos a ele o nosso melhor, como se arrematássemos a nossa obra com o maior esmero que nos é possível, é seguida, em outra altura da obra, pela sugestão de tomarmos este mesmo dia como o primeiro de nossas vidas, enfrentando-o com o frescor e a pureza de "olhos de primeira vez", que tudo observam e diante de tudo se deslumbram. Ambas as propostas imaginativas visam a gerar o contraste necessário para que nossa consciência se aperceba corretamente das coisas à nossa volta e que nossa ação honre com o devido valor a cada dia que se apresenta.

Livro 2, 16: *"A alma humana se rebaixa quando se rebela contra os acontecimentos da natureza, (...), quando concebe aversão por alguém e se inflama de desejos maldosos, quando se deixa vencer pelo prazer ou pela dor, quando dissimula, age ou fala sem franqueza, contra a verdade, quando não dirige para um alvo determinado sua atividade e suas tendências, fazendo seja o que for ao acaso, pois até as menores ações devem ser ordenadas segundo a sua finalidade."*

O universo não é caos, é cosmos, e é necessário perceber que cada episódio do andamento do tempo obedece à lei da necessidade que nos leva, todos, ao crescimento. Acreditar no caos gera sensação de injustiça e consequente cólera e revolta. Em outro momento da obra, ele mesmo enuncia: "Nada acontece ao homem que não seja próprio do homem..." Confiar na vida e em seus propósitos conduz-nos, desde um estado de revolta, a uma postura de aprendizado, que nos permite decodificar inteligentemente as propostas pedagógicas expressas em cada acontecimento.

Livro 3, 5: *"(...) Que o Deus que está em você proteja um ser viril, venerável, um cidadão, um romano, um chefe, um homem que disciplinou a si próprio, que está pronto como um soldado atento ao toque da marcha, a sair da vida, e cuja palavra dispensa juramentos e fiadores. Dessa maneira é que se adquire a serenidade, fica-se independente da ajuda alheia. Nunca espere tranquilidade nos outros. É bem melhor ser reto do que retificado."*

O Deus que reside em cada homem pode e deve impedir que sua casa e sua vestimenta sejam indignas dele, e assim o fará, uma vez que sua voz seja ouvida e sua existência percebida. Dignidade, disciplina, honra e serenidade são atributos daquele cuja essência transborda em pensamentos, palavras e atos, uma vez que lhe foi franqueado o direito de expressão. O que percebemos como um verdadeiro ser humano seria simplesmente um ser completo, com um comando que emana desde o ser em direção ao existir, e que deixa um rastro no mundo que demarca a direção contrária, ou seja, o retorno do existir rumo ao ser como marca registrada de todas as suas obras.

Livro 4, 49: *"(...) Acaso qualquer acidente o impedirá de ser justo, magnânimo, sábio, circunspecto, verídico, modesto, livre... De possuir aquelas virtudes cujo conjunto constitui o caráter essencial da natureza humana? Finalizando, diante de qualquer fato que lhe cause desgosto, lembre-se de recorrer a esta reflexão: isto não é uma infelicidade, mas suportá-lo corajosamente é uma felicidade."*

Que circunstância poderá roubar de nós aquilo que constitui nossa identidade mais legítima? Nada que é realmente teu pode ser roubado de ti! Como estamos em um mundo dual, também serão duais as dificuldades que enfrentamos. Há que fugir ao ilusionismo que elas provocam, olhá-las de frente e dizer: não me engane, você não é absoluta; é dual, como todas as coisas. Mostra-me tua face luminosa!

Enfim, este é apenas um "cartão de visitas" do homem que, no segundo século da Era Cristã, solitário, diante de grandes dificuldades, soube discernir o que era real por trás de todo aquele cenário. O tempo passou, e já não há legiões romanas, nem partos e germanos a combater. Já não há Roma, e o Império, com seus sonhos e valores, foi reduzido a capítulos de livros de história, nem sempre tão interessantes, diga-se de passagem.

Mas o homem e seu diário... Esse ainda está aqui, e inspira-nos a novos capítulos, mais gloriosos, talvez, da nossa própria história. E é esse homem que oferece suas reflexões ao longo das próximas páginas, como um Virgílio, que conduz Dante ao longo dos meandros da Divina Comédia. Quem sabe onde podemos chegar se o seguirmos de perto, sem perder de vista a sua tocha? Que saibamos reconhecer e valorizar aventuras como esta, dignas de serem vividas!

Lúcia Helena Galvão Maya
Palestrante, professora de filosofia, escritora, roteirista e poetisa

Estátua de Marco Aurélio. Obra de Wolfgang Sauber.

Introdução

M*editações* reúne uma série de diários do imperador romano Marco Aurélio, o último dos cinco imperadores que governaram o Império Romano num período conhecido como *Pax Romana* (Paz Romana), que durou até a sua morte no ano 180. São reflexões sobre a autodisciplina, a humildade, a racionalidade e a natureza das emoções. Agrupados em doze livros, os textos foram escritos provavelmente entre os anos 170 e 180.

As ideias otimistas e os conselhos para viver bem ganham destaque especial porque contrastam com o momento em que o Império Romano estava tomado por uma peste, um período de pessimismo e desolação. Ele ensina a lidar com a adversidade e interagir com outras pessoas, com valorização do bem comum e resiliência diante da certeza da finitude humana.

Marco Aurélio foi considerado excelente administrador e um dos maiores líderes da História. Dedicou-se ao estudo e à reflexão filosófica, fortemente influenciado pelos princípios do estoicismo que se revelam em sua obra.

Segundo historiadores, a primeira menção direta da obra *Meditações* é do bispo Aretas de Cesareia, que, por volta do ano 900, enviou o manuscrito a Demétrio, arcebispo de Heracleia, com uma carta dizendo: "Eu tenho há algum tempo um exemplar antigo do livro mais lucrativo do Imperador Marco, tão antigo que está se despedaçando totalmente... Isso eu copiei e posso entregar à posteridade em seu novo vestido".

(...) assimilei o que é o domínio de si mesmo e o não deixar-se arrastar por nada; o bom humor em todas as circunstâncias e, especialmente, nas enfermidades.

Livro 1

1. Herdei do meu avô Verus: o bom caráter e a serenidade.

2. Da reputação e memória legadas por meu pai recebi o caráter discreto e viril.

3. Com minha mãe aprendi a respeitar os deuses, a ser generoso e a não agir mal, como também não ter pensamento semelhante. Dela assimilei a frugalidade no regime de vida e o distanciamento do modo de viver próprio dos ricos.

4. Assim como o meu bisavô, não frequentei escolas públicas e dispus de bons mestres em casa, e entendi que, para isso, é necessário gastar com generosidade.

5. Com meu preceptor percebi que não devo aderir à facção nem dos verdes, nem dos azuis, nem ser partidário dos grandes escudos, nem dos pequenos escudos. Vi que devo suportar as fatigas e ter poucas necessidades. Aprendi a valorizar o trabalho com esforço pessoal e a abstenção de excessivas tarefas, e a desfavorável acolhida à calúnia.

6. Diogneto me mostrou que devo evitar ocupações inúteis, desconfiar dos que contam que fazem prodígios, e feiticeiros que fazem encantamentos e invocação de espíritos, e de outras práticas semelhantes; não dedicar-me à criação de codornas nem sentir paixão por essas coisas; suportar a conversa franca e familiarizar-me com a Filosofia; escutar primeiro Baco, depois Tandárido e Marciano; escrever diálogos na infância; desejar a cama coberta de pele de animal; e todas as demais práticas vinculadas à formação helênica.

7. Com Rústico aprendi a conceber a ideia da necessidade de direcionar e cuidar do meu caráter; não me desviar para a emulação sofista, nem escrever tratados teóricos, nem recitar discursos de exortação, nem fazer-me passar por pessoa ascética ou filantrópica com vistosos alardes; me afastar da retórica, da poética e dos belos modos. E não passear de toga pela casa e nem fazer coisas semelhantes. Também escrever as cartas de maneira simples, como aquela que ele mesmo escreveu em Sinuessa para minha mãe; estar disposto a aceitar com indulgência a chamada e a reconciliação com os que nos ofenderam e incomodaram, assim que queiram retratar-se; ler com dedicação, sem contentar-me com leituras superficiais, e a não dar meu consentimento com prontidão aos charlatões; ter contato com os Comentários de Epiteto, dos quais me entregou uma cópia.

8. De Apolônio assimilei a liberdade de critério e a decisão firme, sem vacilo nem recursos fortuitos; não dirigir o olhar a nenhuma outra coisa além da razão, nem sequer por pouco tempo; o ser sempre inalterável, nas fortes dores, na perda de um filho, nas enfermidades prolongadas; o ter visto claramente, em um modelo vivo, que a mesma pessoa pode ser muito rigorosa e, ao mesmo tempo, despreocupada; o não mostrar um caráter irracional nas explicações; o ter visto um homem que claramente considerava como a mais ínfima de suas qualidades a experiência e a diligência ao transmitir as explicações teóricas; o ter aprendido como se deve aceitar os aparentes favores dos amigos, sem desejar ser subornado por eles nem rejeitá-los sem tato.

9. De Sexto: a benevolência, o exemplo de uma casa conduzida pela autoridade paterna, o projeto de viver conforme a natureza; a dignidade sem afetação; atender aos amigos com presteza; a tolerância para com os ignorantes e para com os que opinam sem refletir; a harmonia com todos, de tal forma que seu trato seja mais agradável que qualquer adulação, e os demais, naquele preciso momento, sentiam o máximo respeito por ele; a capacidade de descobrir com método indutivo e ordenado os princípios necessários para a vida; o não ter dado nunca a impressão de cólera nem de nenhuma outra paixão, mas antes, ser o menos afetado possível pelas paixões e, ao mesmo tempo, ser o que mais profundamente ama a humanidade; o elogio, sem estridências; o saber multifacetado, sem alardes.

10. De Alexandre, o gramático, a não censurar nem interromper alguém de modo ultrajante por um barbarismo, uma falha relacionada às regras de linguagem ou à pronúncia desagradável, mas habilmente orientar a única expressão a ser proferida, seja a título de uma resposta, seja uma aprovação, seja uma confirmação comum em torno do mesmo assunto, sem levar em conta a forma, seja ainda mediante alguma outra advertência oportuna feita de maneira conveniente e agradável.

11. De Frontão aprendi a observar como é a inveja, a astúcia e a hipocrisia própria do tirano, e que, em geral, os que entre nós são chamados de patrícios são, de certa forma, incapazes de afeto.

12. De Alexandre, o platônico: o não dizer a alguém muitas vezes e sem necessidade ou escrever por carta: "estou ocupado", e não recusar, assim, sistematicamente, as obrigações que impõem as relações sociais, com a justificativa de ter muitas ocupações.

13. De Catulo, a não desprezar um amigo por ser acusado por ele, ainda que sua acusação seja sem razão, mas me empenhar em fazê-lo retornar à sua disposição anterior; quanto a meus mestres, elogiá-los com ardor, como se deve lembrar de Domício e Atenodoto; a cultivar amor verdadeiro pelos filhos.

14. De Severo, meu irmão, o amor à família, à verdade e à justiça; graças a ele conheci Trásea, Helvídio, Catão, Dião, Bruto; concebi a ideia de uma constituição baseada na igualdade ante a lei, regida pela equidade e pela liberdade de expressão igual para todos, e de uma realeza que honra e respeita, acima de tudo, a liberdade de seus súditos. Com ele também aprendi sobre a uniformidade e constante aplicação a serviço da Filosofia; a beneficência e generosidade constante; o otimismo e a confiança na amizade dos amigos; nenhuma dissimulação para com os que mereciam sua censura; o não requerer que seus amigos conjecturassem sobre o que queriam ou o que não queriam, pois estava claro.

15. Com Máximo assimilei o que é o domínio de si mesmo e o não deixar-se arrastar por nada; o bom humor em todas as circunstâncias e, especialmente, nas enfermidades; a moderação de caráter doce e, ao mesmo tempo, grave; a execução, sem teimar, das tarefas propostas; a confiança que todos tinham nele, porque suas palavras respondiam a seus pensamentos e em suas atuações procedidas sem má-fé; o não surpreender-se nem perturbar-se; em nenhum caso, precipitação ou lentidão, nem impotência, nem abatimento, nem riso a gargalhadas, seguidas de acessos de ira ou de receio. A benevolência, o perdão e a sinceridade; o dar a impressão de homem reto e inflexível mais que retificado; que ninguém se sentisse menosprezado por ele, nem suspeitasse que se considerava superior a ele; sua amabilidade, enfim.

16. De meu pai conheci a mansidão e a firmeza serena nas decisões profundamente examinadas. O não se vangloriar com as honras aparentes; o amor ao trabalho e à perseverança; o estar disposto a escutar aos que podiam contribuir de forma útil para a comunidade. O dar, sem vacilo, a cada um segundo seu mérito. A experiência para distinguir quando é necessário um esforço sem desmaios, e quando é preciso relaxar. O saber por fim às relações amorosas com os adolescentes. A sociabilidade e o não consentir aos amigos que participassem, sempre, de suas refeições e que não o acompanhassem, necessariamente, em seus deslocamentos; mas antes, quem o tivesse deixado, momentaneamente, por alguma necessidade, o encontrasse sempre igual. O exame minucioso nas deliberações e na tenacidade, sem aludir à indignação, satisfeito com as primeiras impressões. O zelo ao conservar os amigos, sem mostrar nunca desgosto nem louca paixão. A autossuficiência em tudo e a serenidade. A previsão de longe e a regulação prévia dos detalhes mais insignificantes sem cenas trágicas. A repressão das aclamações e de toda adulação dirigida a sua pessoa. O velar constantemente pelas necessidades do Império. A administração dos recursos públicos e a tolerância à crítica em qualquer uma dessas matérias; nenhum temor supersticioso em relação aos deuses, nem disposição para captar o favor dos homens mediante agasalhos ou esmolas ao povo; pelo contrário, sobriedade em tudo e firmeza, ausência absoluta de gostos vulgares e de desejo inovador.

O uso dos bens que contribuem para uma vida fácil e a fortuna, os usufruía em abundância, sem orgulho e, ao mesmo tempo, sem pretextos, de tal forma que os acolhia com naturalidade, quando os possuía, mas não sentia necessidade deles quando lhe faltavam. O fato de que ninguém o tivesse tachado de sofista, vulgar ou pedante; pelo contrário, era tido por homem maduro, completo, inacessível à adulação, capaz de estar à frente dos assuntos próprios e alheios. Além disso, o apreço pelos que filosofam de verdade, sem ofender aos demais nem se deixar, tampouco, ser enganado por eles; mais ainda, seu trato afável e bom humor, mas não em excesso. O cuidado moderado do próprio corpo, não como quem ama a vida, nem com excessos nem com negligência, mas de maneira que, graças ao seu cuidado pessoal, em contadíssimas ocasiões, teve necessidade de assistência médica, de fármacos e remédios. E, especialmente, sua complacência, isenta de inveja, aos que possuíam alguma faculdade, por exemplo, a facilidade de expressão, o conhecimento da história, das leis, dos costumes ou de qualquer outra matéria; seu afinco em ajudá-los para que cada um conseguisse as honras de acordo com sua peculiar excelência; procedendo em tudo segundo as tradições ancestrais, mas procurando não fazer ostentação nem sequer disso: de velar por essas tradições. Além disso, não era propício a movimentar-se nem a agitar-se facilmente, mas gostava de permanecer nos mesmos lugares e ocupações. E, imediatamente, depois das fortes dores de cabeça, rejuvenescido e em plenas faculdades, entregava-se às tarefas habituais. O não ter muitos segredos, mas muito poucos, excepcionalmente, e apenas sobre assuntos de Estado. Sua sagacidade e cautela na celebração de festas, na construção de obras públicas, nas designações e em outras coisas semelhantes, é próprio de uma pessoa que olha exclusivamente para o que deve ser feito, sem se preocupar com a aprovação popular em relação às obras realizadas. Nem banhos fora do tempo, nem amor à construção de casas, nem preocupação pelas comidas; nem pelas telas, nem pelas cores dos vestidos, nem pela boa aparência de seus servidores; a vestimenta que usava procedia de sua casa de campo em Lorio, e a maioria de suas vestes, das que tinha em Lanúvio. Como tratou o cobrador de impostos em Túsculo, que lhe fazia reclamações! E todo o seu caráter era assim; não foi nem cruel, nem arrebatador, nem duro, de maneira que jamais se pudesse falar sobre ele: "até o suor", mas tudo havia sido calculado com exatidão, como se lhe sobrasse tempo, sem perturbação, sem desordem, com firmeza e harmonia. E caberia bem a ele o que se recorda de Sócrates: que era capaz de abster-se e desfrutar daqueles bens, cuja privação debilita a maior parte, enquanto que seu desfrute lhe faz abandoná-los. Seu vigor físico e sua resistência, e a sobriedade, em ambos os casos, são propriedades de um homem que tem uma alma equilibrada e invencível, como mostrou durante a doença de Máximo.

17. Dos deuses recebi bons avós, bons pais, boa irmã, bons mestres, bons amigos íntimos, parentes e amigos, quase todos bons; o não haver me deixado levar facilmente, nunca, a ofender nenhum deles, apesar de ter uma disposição natural idônea para poder fazer algo semelhante, se a ocasião tivesse sido apresentada. É um favor divino que não me apresentava nenhuma combinação de circunstâncias que me colocassem à prova; o não ter sido educado muito tempo junto à concubina do meu avô; o ter conservado a flor da minha juventude e o não ter demonstrado antes do tempo minha virilidade, mas, inclusive, ter demorado por algum tempo; o ter estado submetido às ordens de um governante, meu pai, que deveria arrancar de mim todo orgulho e me fazer compreender que é possível viver no palácio sem ter necessidade de guarda pessoal, de vestimentas suntuosas, de candelabros, de estátuas e outras coisas semelhantes e de um luxo parecido; mas, que é possível centrar-se em um regime de vida muito próximo ao de um simples cidadão, e nem por isso ser mais desgraçado ou mais negligente no cumprimento dos deveres que, soberanamente, a comunidade exige de nós. O ter tido sorte de ter um irmão capaz, por seu caráter, de incitar-me ao cuidado de mim mesmo e que, ao mesmo tempo, me alegrava por seu respeito e afeto; o não ter tido filhos anormais ou disformes; o não ter progredido demasiadamente na retórica, na poética e nas demais disciplinas, nas quais, talvez, pudesse ter me detido, se tivesse percebido que estava progredindo em um bom ritmo. O ter me antecipado a situar meus educadores no ponto de dignidade que imaginava que desejavam, sem demorar, com a esperança de que, já que eram tão jovens, o faria na prática mais tarde. O ter conhecido Apolônio, Rústico, Máximo. O ter me mostrado claramente e em muitas ocasiões o que é a vida de acordo com a natureza, de maneira que, na medida em que depende dos deuses, de suas comunicações, de seus socorros e de suas inspirações, nada impedia já que vivia de acordo com a natureza, e se continuo ainda longe desse ideal, é culpa minha por não observar as sugestões dos deuses e, com dificuldade, seus ensinamentos; a resistência do meu corpo durante longo tempo em uma vida com essas características; o ter me afastado de Benedita e de Teodoto, e inclusive, mais tarde, embora ter sido vítima de paixões amorosas, ter me curado delas; o não ter me excedido, nunca, com Rústico, apesar das frequentes disputas, do qual teria me arrependido; o fato de que minha mãe, que deveria morrer jovem, vivesse, entretanto, comigo, nos últimos anos; o fato de que todas as vezes que quis socorrer um pobre ou necessitado de outras coisas, jamais ouvi dizer que não tinha dinheiro disponível; o não ter caído, eu mesmo, em uma necessidade semelhante para pedir ajuda alheia; o ter uma esposa de tais qualidades: tão obediente, tão carinhosa, tão simples; o ter conseguido facilmente, para meus filhos, educadores adequados; o ter recebido, por meio de sonhos, remédios, principalmente para não escarrar sangue e para evitar enjoos, e o de Gaeta, em forma de oráculo; o não ter caído, quando me enamorei pela Filosofia, nas mãos de um sofista, nem ter me entretido na análise de autores ou de silogismos, nem ocupar-me demasiado com os fenômenos celestes. Tudo isso requer ajuda dos deuses e da sorte.

A morte e a vida, a honra e a desonra e a dor e a alegria são atribuídas igualmente a todos.

Livro 2

1. Comece a manhã dizendo para si mesmo: encontrarei com um indiscreto, com um ingrato, com um insolente, com um mentiroso, com um invejoso, com um insociável.

Tudo isso ocorre por ignorância do bem e do mal. Mas eu, que observei que a natureza do bem é o belo, e que a do mal é o vergonhoso, e que a natureza do próprio pecador, que é meu parente, porque participa, não do mesmo sangue ou da mesma semente, mas da inteligência e de uma porção da divindade, não posso receber dano de nenhum deles, pois nenhum me cobrirá de vergonha; nem posso me aborrecer com meu parente nem odiá-lo. Pois nascemos para colaborar, assim como os pés, as mãos, as pálpebras, os dentes superiores e inferiores. Agir, pois, como adversários uns para com os outros é contrário à natureza. E é agir como adversário o fato de manifestar indignação e repulsa.

2. Isso é tudo o que sou: um pouco de carne, um breve fôlego vital e o guia interior. Abandone seus livros! Não distraia mais a sua mente, que não é mais permitido. Mas que, na ideia de que já está próximo da morte, despreza a carne: sangue e pó, ossos, fino tecido de nervos, de pequenas veias e artérias. Observe também em que consiste o fôlego vital: vento, e nem sempre o mesmo, pois em todo momento se expira e de novo se aspira. Em terceiro lugar, pois, resta a você o guia interior. Reflita assim: você é velho, não consinta por mais tempo ser escravo, nem que siga ainda se arrastando como marionete por instintos egoístas, nem que maldiga o destino presente ou tenha receio do futuro.

3. Tudo que é obra dos deuses está cheio de providência. Aquilo que depende de sorte não está separado da natureza ou da trama e entrelaçamento das coisas governadas pela providência. Disso flui tudo. Acrescenta-se o necessário e o conveniente para o conjunto do universo, do qual você é parte. Para qualquer parte da natureza, é bom aquilo que colabora com a natureza do conjunto e o que é capaz de preservá-la. E conservam o mundo tanto as transformações dos elementos simples como as dos compostos. Sejam suficientes para você essas reflexões, se são princípios básicos. Afasta a sua sede de livros, para não morrer amargurado, mas verdadeiramente resignado e grato de coração aos deuses.

4. Repare por quanto tempo vem adiando isso e quantas vezes recebeu avisos prévios dos deuses sem aproveitá-los. É preciso que a partir desse momento perceba de que mundo é parte e de que governante do mundo procede como emanação, e compreenderá que sua vida está circunscrita em um período de tempo limitado. Caso não aproveite essa oportunidade para se serenar, ela passará, e você também passará, e já não haverá outra.

5. Em todas as horas, pense constantemente como romano e homem, em fazer o que tem nas mãos com precisão e não fingida gravidade, com amor, liberdade e justiça, e procure tempo livre para libertar-se de todas as demais distrações. Realize cada ato como se fosse o último de sua vida, evitando todo sofrimento irrefletido, toda transgressão apaixonada das leis e da razão, toda dissimulação, toda vaidade, toda revolta contra o destino. Já notou quão poucos são os princípios com os quais, se dominados por um homem, se pode viver uma vida que flui em tranquilidade, e se assemelha à existência dos deuses? Pois que, da sua parte, mesmo os deuses não exigirão nada mais daquele que pratica tal filosofia em vida.

6. Está insultando a si mesmo, insulte-se, alma minha! E já não terá ocasião para se honrar. Breve é a vida para cada um, e mesmo estando próxima do fim, insiste em reverenciar não a própria felicidade, mas a coloca nas almas alheias.

7. Os acidentes exteriores o distraem. Procure tempo livre para aprender algo bom e pare de girar como um pião. Adiante, deve evitar também outros desvios. Porque deliram também, em meio a tantas ocupações, os que estão cansados de viver e não têm alvo ao qual dirigir todo o impulso e suas ideias.

8. Desconhecer o que se passa na mente alheia não torna um homem infeliz. A infelicidade está em não saber o que se passa na sua própria alma.

9. Isto você deve ter sempre em mente: qual é a natureza universal, qual é a minha, como ambas se relacionam e qual tipo de parte compõe qual espécie de universo. Ninguém pode impedi-lo de falar e agir conforme a natureza da qual participa.

10. Teofrasto, em sua análise filosófica dos maus hábitos, compara, como poderia compará-las um homem segundo o sentido comum, que as faltas cometidas por desejo são mais graves que as cometidas por ira. Porque o homem irado parece desviar-se da razão com certa dor e aperto no coração; enquanto a pessoa que peca por desejo, derrotado pelo prazer, mostra-se mais fraco e lânguido em suas faltas. Com razão, pois, e de maneira digna de um filósofo, disse que o que peca com prazer merece maior reprovação que o que peca com dor. Resumindo, o primeiro se parece mais a um homem que foi vítima de uma injustiça prévia e que se viu forçado a sentir ira por dor; o segundo lançou-se à injustiça por si mesmo, movido a agir por seu próprio desejo.

11. Diante da certeza de que pode deixar a vida a qualquer momento, faça, fale e pense todas e cada uma das coisas em consonância com essa ideia. Pois distanciar-se dos homens, se existem deuses, em absoluto é temível, porque estes não poderiam atirá-lo ao mar. Mas, se em verdade não existem, ou não lhes importam os assuntos humanos, para que viver em um mundo vazio de deuses ou vazio de providência? Mas sim, existem, e lhes importam as coisas humanas, e criaram todos os meios a seu alcance para que o homem não sucumba aos verdadeiros males. E se restar algum mal, também haveriam previsto, a fim de que contasse o homem com todos os meios para evitar cair nele. Mas o que não torna pior um homem, como isso poderia fazer pior a sua vida? A natureza universal jamais negligenciaria a existência dessa possibilidade por ignorância ou por incapacidadede corrigi-la. Tampouco cometeria o erro de atribuir bens e males indistintamente a homens bons e maus. A morte e a vida, a honra e a desonra e a dor e a alegria são atribuídas igualmente a todos. Portanto, não nos melhoram ou pioram, nem são boas ou más.

12. Como em um instante tudo desaparece: no mundo, os próprios corpos, e no tempo, a sua lembrança! Como tudo é sensível, especialmente o que nos atrai pelo prazer ou nos assusta pela dor ou o que nos faz gritar por orgulho! Como tudo é vil, desprezível, sujo, facilmente destrutível e cadavérico! Estes são para a faculdade da inteligência considerar! Considerar também que tipo de homens são aqueles cujos julgamentos e vozes conferem honra e desonra; Que é a morte? Porque se um homem olhar para ela por si mesmo e, pela atividade separadora do pensamento, tirar todas as imagens associadas a ela, já não sugerirá outra coisa senão que é obra da natureza. Mas se o homem teme o trabalho manual da Natureza, ele é uma mera criança. Mas não somente a morte é uma ação da natureza, mas, também, uma ação útil da natureza.

13. Nada mais infeliz que o homem que percorre em círculo todas as coisas e que pergunta sobre o que há embaixo da terra e que busca, mediante conjecturas, o que ocorre na alma do vizinho, mas sem perceber que é necessário, apenas, estar junto à única divindade que habita seu interior e ser seu sincero servo. E o culto que se deve a essa divindade consiste em preservá-la pura da paixão, da falta de reflexões e do desgosto contra o que procede dos deuses e dos homens. Porque o que procede dos deuses é respeitável por excelência, mas o que procede dos homens nos é querido por nosso parentesco e, às vezes, inclusive, de certa forma inspira compaixão, por sua ignorância acerca do bem e do mal, uma falha que nos impede de discernir entre o claro e o escuro.

14. Ainda que pudesse viver três mil anos e outras tantas vezes quanto dez mil anos, lembre-se de que ninguém perde outra vida além da que vive, nem vive outra além da que perde. Logo, a vida mais longa e a mais curta se tornam iguais. O presente, de fato, é igual para todos; o que se perde é também igual, e o que se separa é, evidentemente, um simples instante. Assim, nem o passado nem o futuro podem ser perdidos porque, o que não se tem, como alguém nos poderia tirar? Tenha sempre presente, portanto, estas duas coisas: uma, que tudo, desde sempre, se apresenta de forma igual e descreve os mesmos círculos, e nada importa que se contemple a mesma coisa durante cem anos, duzentos ou um tempo indefinido; a outras, que o que viveu mais tempo e o que morrerá mais prematuramente, sofrem perda idêntica. Porque somente podemos ser privados do presente, posto que possuímos apenas o presente, e o que não se possui, não se pode perder.

15. Tudo é uma questão de opinião. É isso o que diz o cínico Mônimo. E da mesma forma, se alguém extrai de sua opinião o que ela traz de verdade, e a reflete adiante, estará igualmente se manifestando.

16. A alma humana se rebaixa quando se rebela contra os acontecimentos da natureza. Porque incomodar-se com algum acontecimento é uma separação da natureza, em cuja parcela estão abrigadas as naturezas de cada um dos seres restantes. Em segundo lugar, confronta-se, também, quando concebe aversão por alguém e se inflama de desejos maldosos, quando se deixa vencer pelo prazer ou pela dor, quando dissimula, age ou fala sem franqueza, contra a verdade, quando não dirige para um alvo determinado sua atividade e suas tendências, fazendo seja o que for ao acaso, pois até as menores ações devem ser ordenadas segundo a sua finalidade. E a finalidade dos seres racionais é obedecer à razão e à lei da cidade e sua constituição mais venerável.

17. O tempo da vida humana é um ponto; e sua substância, um fluxo. Sua sensação: trevas. A composição do conjunto do corpo: facilmente corruptível. Sua alma: um remoinho. Sua felicidade: algo difícil de conjecturar. Sua fama: indecifrável. Em poucas palavras: tudo o que pertence ao corpo, um rio; sonho e vapor, o que é próprio da alma; a vida, guerra e estância em terra estranha; a fama póstuma, esquecimento. O que pode, então, fazer-nos companhia? Única e exclusivamente a Filosofia. E ela consiste em preservar o guia interior, isento de ultrajes e de danos, dono de prazeres e dores, sem fazer nada por acaso, sem valer-se da mentira nem da hipocrisia, à margem do que outro faça ou deixe de fazer; mais ainda, aceitando o que acontece e o reconhecendo como precedente daquele lugar de onde ele mesmo viera. E, principalmente, aguardando a morte com pensamento favorável, com a convicção de que a morte não é outra coisa além da dissolução de elementos que compõem cada ser vivo. E se para os mesmos elementos não existe nada de temível no fato de que cada um se transforma continuamente em outro, por que temer a transformação e dissolução de todas as coisas? Pois isso está de acordo com a natureza, e nada constitui mal se está em conformidade com a natureza. Isso foi escrito em Carnunto.

Não desperdice a parte da vida que lhe resta pensando na vida alheia, a não ser que seu objetivo aponte para o bem comum.

Livro 3

1. Devemos considerar que a cada dia se gasta a vida e nos sobra uma parte menor dela.

Mas devemos refletir também que, se uma pessoa prolonga sua existência, não está claro se sua inteligência será igualmente capaz, mais à frente, para a compreensão das coisas e da teoria que tende ao conhecimento das coisas divinas e humanas. Porque, no caso dessa pessoa começar a caducar, a respiração, a nutrição, a imaginação, os instintos e todas as demais funções semelhantes não lhe faltarão. No entanto, a faculdade de dispor de si mesmo, de calibrar com exatidão o número dos deveres, de analisar as aparências, de deter-se a refletir sobre se já chegou o momento de abandonar essa vida e quantas necessidades de características semelhantes precisarem um exercício exaustivo da razão, tudo isso se extinguirá antes. Convém, pois, apressar-nos não somente porque a cada instante estamos mais perto da morte, mas também porque cessa com antecedência a compreensão das coisas e a capacidade de nos acomodarmos a elas.

2. Precisamos também observar que as mudanças das coisas naturais têm algum encanto e atrativo. Por exemplo, o pão, ao ser assado, abre-se em certas partes; essas aberturas que se formam e que, de certo modo, são contrárias à promessa da arte do padeiro, são adequadas, e excitam singularmente o apetite. Assim também são os figos, que quando estão muito maduros, entreabrem-se. Assim, também, as azeitonas, que ficam maduras nas árvores, e sua mesma proximidade à podridão acrescenta ao fruto uma beleza singular. Igualmente as espigas que se inclinam para baixo, o pelo do leão e a espuma que brota do focinho dos javalis e muitas outras coisas, examinadas em particular, estão longe de serem belas. Entretanto, ao ser consequência de certos processos naturais, apresentam um aspecto belo e são atrativas. De maneira que, se uma pessoa tem sensibilidade e inteligência suficientemente profunda para captar o que acontece no conjunto, quase nada lhe parecerá, inclusive entre as coisas que acontecem por efeitos secundários, não conter algum encanto singular. E essa pessoa verá as goelas ameaçadoras das feras com o mesmo agrado que todas as suas reproduções realizadas por pintores e escultores. Inclusive, poderá ver com seus sagazes olhos certa plenitude e maturidade na anciã e no ancião e, também, nas crianças, seu amável encanto. Muitas coisas semelhantes não se encontrarão ao alcance de qualquer um, mas, exclusivamente, para o que de verdade esteja familiarizado com a natureza e suas obras.

3. Hipócrates, depois de ter curado muitos enfermos, adoeceu também e morreu. Os caldeus predisseram a morte de muitos homens e eles também foram vítimas do destino. Alexandre, Pompeu e Caio César, depois de terem arrasado, tantas vezes, até os cimentos de cidades inteiras e de terem destruído, em ordem de combate, numerosas miríades de cavaleiros e infantes, também eles acabaram por perder a vida. Heráclito, depois de ter feito pesquisas sobre a conflagração do mundo, acabou cheio de água, e morreu coberto de excrementos. Os vermes mataram Demócrito. Vermes também, mas diferentes, acabaram com Sócrates. O que isso significa? Você embarcou, atravessou mares, atracou: desembarque! Se for para entrar em outra vida, tampouco ali deverá estar vazia de deuses, assim como aqui não é. Mas se for para se encontrar na insensibilidade, deixará de suportar fadigas e prazeres e de estar a serviço de uma envoltura quanto pior e quanto mais superior for a parte subordinada. Esta é inteligência e divindade: terra e sangue mesclado com pó.

4. Não desperdice a parte da vida que lhe resta pensando na vida alheia, a não ser que seu objetivo aponte para o bem comum; porque certamente se privará de outra tarefa. Ao querer saber, ao imaginar o que faz fulano e por que, e o que pensa e o que trama e tantas coisas semelhantes que provocam seu raciocínio, se afastará da observação do seu guia interior. Evite admitir o que é fruto do azar e supérfluo, mas muito mais o inútil e pernicioso. Deve também acostumar-se a ter unicamente aquelas ideias sobre as quais, se lhe perguntassem de repente "em que pensa agora?", com franqueza pudesse responder no mesmo instante "nisso e naquilo", de maneira que no mesmo instante se manifestasse que tudo em você é simples, benévolo e próprio de um ser isento de toda cobiça, inveja, receio ou qualquer outra paixão, da qual pudesse se envergonhar ao reconhecer que a possui em seu pensamento. Porque o homem com essas características, que já não demora em situar-se entre os melhores, converte-se em sacerdote e servo dos deuses, posto ao serviço também da divindade que habita seu interior; tudo que o imuniza contra os prazeres, o faz invulnerável a toda dor, intocável a todo excesso, insensível a toda maldade, atleta da mais excelsa luta, luta que se entrava para não ser abatido por nenhuma paixão, impregnado a fundo de justiça, apegado, com toda a sua alma, aos acontecimentos e a tudo o que lhe tenha acontecido. E, raramente, a não ser por uma grande necessidade e tendo em vista o bem comum, cogita o que a outra pessoa diz, faz ou pensa. Coloque unicamente em prática aquelas coisas que lhe correspondem, e pense sem cessar no que lhe pertence, o que foi alinhado ao conjunto. Enquanto, por um lado, cumpre o seu dever, por outro, está convencido de que é bom. Porque o destino designado a cada um está envolvido no conjunto e ao mesmo tempo o envolve. Tenha também presente que todos os seres racionais têm parentesco e que preocupar-se com todos os homens está de acordo com a natureza humana. Mas não considere a opinião de todos, mas somente a opinião daqueles que vivem conforme a natureza. E, em relação aos que não vivem assim, prossiga recordando até o fim como são em casa e fora dela, pela noite e durante o dia, e com que classe de gente convivem. Consequentemente, não considere o elogio de tais homens que nem consigo mesmos estão satisfeitos.

5. Trabalhe sempre com boa vontade, sem nunca se arrastar em sentidos opostos. Não trate de mascarar seu pensamento. Nem seja demasiadamente eloquente, nem multifacetado. Que o Deus que está em você proteja um ser viril, venerável, um cidadão, um romano, um chefe, um homem que disciplinou a si próprio, que está pronto como um soldado atento ao toque da marcha, a sair da vida, e cuja palavra dispensa juramentos e fiadores. Dessa maneira é que se adquire a serenidade, fica-se independente da ajuda alheia. Nunca espere tranquilidade nos outros. É bem melhor ser reto do que retificado.

6. Se no percurso da vida humana encontrar um bem superior à justiça, à verdade, à moderação, à valentia e, em suma, a sua inteligência que se basta a si mesma, naquelas coisas que facilitam a ação de acordo com a reta razão, e de acordo com o destino das coisas repartidas sem seleção prévia; se percebe, digo, um bem de maior valor que esse, dirija-se a ele com toda a alma e desfrute do bem supremo que descobriu. Mas se nada melhor aparece que a própria divindade interior, que o haver submetido a seu domínio os instintos particulares, que vigia as ideias e que, como dizia Sócrates, se libertou das seduções dos sentidos, se submeteu aos deuses, e ama a humanidade, ora, se não achou neste mundo nada superior a isto, não dê atenção para nada mais; pois se alguma vez já percebeu tal divindade em si mesmo, e inclinou-se em sua direção, sabe que não há nada mais belo e benévolo do que isto que já é seu, e sempre será seu. Porque não parece certo opor ao bem da razão e da convivência outro bem de gênero distinto, como, por exemplo, o elogio da multidão, dos cargos públicos, da riqueza ou do gozo de prazeres. Todas essas coisas, ainda que pareçam inicialmente harmonizar com nossa natureza, prontamente se impõem e nos desviam. Portanto, reitero: escolha simples e livremente o melhor e persevere nisso. "Mas o melhor é o conveniente": se assim é para você, tanto quanto seja racional observar, mantenha isso. Mas se assim é para a parte animal, manifeste-o e conserve seu juízo sem orgulho. Trate somente de fazer seu exame de modo seguro.

7. Nunca dê tanto valor a uma coisa que o forçará um dia a transgredir sua fé, a perder a sua honra, a odiar qualquer homem, a suspeitar e amaldiçoar, a agir com hipocrisia, a desejar qualquer objeto que precise da proteção de muros e véus: pois aquele que coloca a sua preferência na sua própria razão e no seu próprio *daemon*, que cultua em si mesmo acima de todas as coisas, não tomará parte em tragédias, não viverá em lamentação, não terá necessidade nem da reclusão nem da multidão, mas viverá como o imperador de si mesmo, sem perseguir nem temer o dia de sua morte. Pois que já não o perturba o fato de permanecer por um tempo maior ou menor nesta vida: ainda que fosse chamado a partir dela neste momento, seguiria prontamente em sua jornada, como se ela fosse qualquer outra viagem. Tome cuidado para que isto seja verdade em toda a sua vida, de modo que seus pensamentos jamais se desviem do que é pertinente a um ser racional e membro da civilização.

8. Na mente do homem que se disciplinou e se purificou profundamente, nada purulento, nem manchado, nem mal cicatrizado poderia ser encontrado. E o destino não arrebata sua vida incompleta, como se poderia afirmar do ator que se retirasse da cena antes de ter finalizado seu papel e concluído a obra. E mais, nada escravo há nele, nenhuma afetação, nada acrescentado, nem dissociado, nada submetido à redenção de contas nem necessitado de esconderijo.

9. Valorize a faculdade intelectual. Nela radica tudo, para que não se encontre jamais em seu guia interior uma opinião inconsequente com a natureza e com a disposição do ser racional. Essa faculdade garante a ausência de precipitação, a familiaridade com os homens e a conformidade com os deuses.

10. Abandone, pois, todo o restante e conserve somente uns poucos preceitos. E, além disso, lembre-se de que cada um vive exclusivamente o presente, o instante fugaz. O restante, ou se viveu ou é incerto. Insignificante é, portanto, a vida de cada um, e insignificante também o cantinho da terra onde você vive. Pequena é assim a fama póstuma, inclusive a mais prolongada, e essa se dá por meio de uma sucessão de homenzinhos que logo morrerão, que nem sequer conhecem a si mesmos, nem tampouco ao que morreu há tempos.

11. Aos conselhos mencionados, acrescente mais um: delimitar ou descrever a imagem que sobrevém, de maneira que se possa vê-la tal qual é em essência, nua, totalmente inteira através de todos os seus aspectos, e possa designar-se com seu nome preciso e com os nomes daqueles elementos que a constituíram e nos quais se desintegrará. Porque nada é tão capaz de engrandecer o ânimo, como a possibilidade de comprovar, com método e veracidade, cada um dos objetos que se apresentam na vida, e vê-los sempre de tal modo que possa, então, compreender-se em que ordem se encaixam, qual a sua utilidade, que valor têm em relação ao todo, e qual valor tem o cidadão da cidade mais excelsa, da qual as demais cidades são como casas. O que é, e de que elementos está composto e quanto tempo é natural que perdure esse objeto que provoca agora em mim essa imagem, e que virtude preciso ter em relação a ele, por exemplo: mansidão, coragem, sinceridade, fidelidade, simplicidade, autossuficiência etc. Por essa razão, deve dizer em relação a cada uma: "Isso procede de Deus" ou "Aquilo se dá segundo o encadeamento dos fatos, segundo a trama compacta, segundo uma causalidade". Isso vem de um concidadão ou parente ou de um colega que, no entanto, ignora o que está de acordo com a natureza. Mas eu não o ignoro. Por essa razão me relaciono com ele, de acordo com a lei natural própria da comunidade, com benevolência e justiça. Contudo, em relação às coisas de menor importância, dou o merecido valor.

12. Se executar a tarefa presente seguindo a reta razão, com afinco e firmeza, com benevolência e sem nenhuma preocupação alheia, antes, vele pela pureza de seu deus, como se já fosse preciso restituí-lo. E, além disso, se nada espera nem evita, mas se conforma com a atividade presente conforme a natureza e com a verdade heroica em tudo o que diz e comenta, viverá feliz. E ninguém será capaz de o impedir.

13. Assim como os médicos sempre têm à mão seus instrumentos para as emergências, assim também, tenha à mão os princípios fundamentais para conhecer as coisas divinas e as humanas, e assim realizar tudo, inclusive a ação mais trivial, recordando a relação íntima e mútua das coisas umas com as outras. Pois não terá final feliz nenhuma atividade humana sem relacioná-la, ao mesmo tempo, com as atividades divinas e vice-versa.

14. Não divague mais, porque nem lerá suas próprias memórias, nem tampouco os feitos dos romanos antigos e gregos, nem as seleções de escritos que reservava para a sua velhice. Apresse-se, pois, ao fim, renuncie às vãs esperanças e auxilie a si mesmo, se é que se encontra nessa condição, enquanto lhe resta essa possibilidade.

15. Desconhecem-se os conceitos corretos dos termos: roubar, semear, comprar, viver em paz, ver o que se deve fazer. Esses conceitos não se conseguem com os olhos, mas com uma visão diferente.

16. Corpo, alma, inteligência. São próprias do corpo, as sensações; da alma, os instintos; da inteligência, os princípios. Receber impressões por meio da imagem é próprio também dos animais. Ser movido como um fantoche pelos instintos corresponde também às feras, aos andróginos, aos Falaris e aos Neros. Mas ter a inteligência como guia em relação aos deveres aparentes pertence também aos que não creem nos deuses, aos que abandonam sua pátria e aos que agem a seu prazer, uma vez que se fecharam as portas. Portanto, se o restante é comum aos seres mencionados, resta, como peculiar do homem bom, amar e abraçar o que lhe sobrevém e se entrelaça com ele, e o não confundir nem perturbar jamais a Deus, que tem a morada dentro de seu peito com múltiplas imagens, mas antes, velar para que se conserve propício, submisso, disciplinadamente a Ele, sem mencionar uma palavra contrária à verdade, sem fazer nada contrário à justiça. E se todos os homens desconfiam desse homem bom, de que vive com simplicidade, modéstia e bom humor, nem por isso ele se aborrece com ninguém, nem se desvia do caminho traçado que o leva ao fim de sua vida, objetivo ao qual deve encaminhar-se, puro, tranquilo, livre, sem violências e em harmonia com seu próprio destino.

Em nenhuma parte o homem se retira com maior tranquilidade e mais calma que em sua própria alma.

Livro 4

1. Quando está de acordo com a natureza, a nossa alma reinante adota, em relação aos acontecimentos, uma atitude tal que sempre, e com facilidade, pode adaptar-se às opções que lhe são apresentadas.

Não tem predileção por nada predeterminado, mas se lança instintivamente frente ao que lhe é apresentado, com prevenção, e converte em seu favor inclusive o que lhe era obstáculo. Converte o que é desfavorável em material para si, tal qual o fogo, que se apodera do que nele cai. Quando a chama é pequena, pouco é preciso para apagá-la. Mas um fogaréu se apropria e absorve a matéria totalmente, e a partir dela, ascende.

2. Nenhuma ação deve empreender-se sem motivo nem de modo divergente à norma consagrada pela arte.

3. As pessoas buscam retiros no campo, na costa e no monte. Você também quer tais retiros. Mas tudo isso é para pessoas medianas, pois quem filosofa pode, quando quiser, buscar retiro em si mesmo. Em nenhuma parte o homem se retira com maior tranquilidade e mais calma que em sua própria alma. Sobretudo aquele que possui em seu interior tais bens, ao se inclinar a eles, de imediato consegue uma tranquilidade total. E denomino tranquilidade única e exclusivamente a boa ordem. Conceda-se, pois, sem pausa, esse retiro e se recupere. Sejam breves e elementares os princípios que, tão logo sejam localizados, serão suficientes para enclausurá-lo em toda a sua alma e para enviá-lo de novo, sem aborrecimento, àquelas coisas da vida frente às que se retira.

Com que se aborrecerá? Com a maldade dos homens? Lembre-se de que os seres racionais nasceram uns para os outros, que a tolerância é parte da justiça, e que seus erros são involuntários. Lembre-se, também, de quantos inimigos, suspeitos ou odiosos, feridos por lança, estão detidos, reduzidos a cinzas. Modere-se de uma vez. Mas está aborrecido pela parte que lhe cabe? Lembre-se do dilema: "Se não há uma providência, então só há os átomos", e graças a quantas provas foi demonstrado que o mundo é como uma cidade. Preocupa-se com as coisas corporais? Reconheça que o pensamento não se mistura com o hábito vital que se move suave ou violentamente, uma vez que se recuperou e compreendeu seu peculiar poder. Enfim, tem presente o que ouviu e aceitou em relação à dor e ao prazer. Acaso se arrastará a vanglória? Dirija seu olhar à profundidade com que se esquece tudo e ao abismo do tempo infinito por ambos os lados, à veracidade do eco, à versatilidade e irreflexão dos que dão a impressão de elogiá-lo, à amargura do lugar em que se circunscreve a glória. Porque a Terra inteira é um ponto no espaço, e quanto ocupa o cantinho que habitamos nela? E ali, quantos e que classe de homens o elogiarão? Considere que lhe resta o refúgio que se encontra nesse pequeno campo de si mesmo. E, acima de tudo, não se atormente nem se esforce demasiadamente; antes, seja um homem livre e olhe as coisas como varão, como homem, como cidadão, como ser mortal. E entre as máximas que terá à mão e às quais se inclinará, estejam presentes estas duas: uma, que as coisas não alcançam a alma, mas se encontram fora dela, desprovidas de temor, e as perturbações surgem da única opinião interior. E a segunda, que todas essas coisas que está vendo, logo se transformarão e já não existirão. Pense também, em quantas transformações já testemunhou. O mundo é uma constante transformação; e a vida, opinião.

4. Se a inteligência é comum a todos os homens, também a razão, em virtude da qual somos racionais, nos é comum. Admitido isso, a razão que determina o que deve ser feito ou evitado, também é comum. Concedido isso, também a lei é a mesma para todos. Sendo assim, somos concidadãos. Se isso é assim, o mundo é como uma cidade, pois, de que outra comum cidadania poder-se-á afirmar que participa toda a espécie humana? Disso, dessa cidade em comum, procedem tanto a inteligência como a razão e a lei. Ou, de que mais? Porque assim como a parte de terra que existe em mim é oriunda de certa terra, a parte úmida, de outro elemento, a parte que infunde vida, de certa fonte, e a parte cálida e ígnea de uma fonte particular (pois nada vem do nada, assim como nada retorna ao nada), do mesmo modo a inteligência se origina de algum lugar.

5. A morte, assim como o nascimento, é um mistério da natureza, combinação de certos elementos (e dissolução) neles mesmos. Em suma, isto não é algo do qual o homem deva se envergonhar, pois não é contrário à continuação de um ser inteligente nem tampouco à lógica de sua constituição.

6. É natural que essas coisas sejam produzidas necessariamente assim a partir de tais homens. E o que assim o aceita, pretende que o figo deixe de ser suculento. Enfim, lembre-se de que dentro de brevíssimo tempo, você e a figueira estarão mortos, e pouco depois, nem sequer seu nome perdurará.

7. Destrua a opinião e destruído estará o pensamento "fui prejudicado". Elimine a queixa "fui prejudicado" e eliminado estará o dano.

8. O que não deteriora o homem, tampouco deteriora sua vida e não lhe prejudica nem externamente, nem internamente.

9. A natureza do útil está obrigada a produzir utilidade.

10. "Tudo o que acontece, por justiça acontece". Você constatará isso, se prestar a devida atenção. Não digo somente que acontece de forma ordenada, mas também segundo o justo e inclusive como se alguém atribuísse à parte correspondente segundo o seu mérito. Siga, pois, observando o princípio, e o que fizer, faça-o com o desejo de ser um homem de bem, de acordo com o conceito próprio do homem de bem. Conserve esta norma em toda ação.

11. Não considere as coisas tal como as julga o homem insolente ou como quer que as julgue. Mas, antes, examine-as tal como são em realidade.

12. É preciso ter sempre preparadas estas duas disposições: uma, a de executar exclusivamente aquilo que a razão de sua faculdade real e legislativa sugira a você para favorecer os homens; outra, a de mudar de atitude, caso apareça alguém que o corrija e que o faça desistir de alguma das suas opiniões. Entretanto, é preciso que essa nova orientação tenha sempre sua origem em certa convicção de justiça ou de interesse à comunidade e as motivações devem ter exclusivamente tais características, não o que pareça agradável ou popular.

13. Você é dotado de razão? "Sim, eu sou". Por que então não a utiliza? Pois se a razão trabalhasse por si mesma, qual parte lhe caberia neste caminho?

14. Você tem existido como uma parte do todo. No entanto, dia virá em que você desaparecerá naquilo que o produziu, ou seja, será reabsorvido neste princípio gerador em mais uma de suas transmutações.

15. Há muitas hastes de incenso sobre o mesmo altar: uma se queimou primeiro, outra, mais tarde. Não faz diferença.

16. Se retornar aos seus princípios e ao culto da razão, em dez dias se parecerá como um deus diante daqueles mesmos que hoje o tratam como uma fera ou um símio.

17. Não conduza sua vida como se ainda fosse viver dez mil anos. A morte já vem em sua ronda. Enquanto está vivo, enquanto está em seu poder, seja um bom homem.

18. Quanto transtorno e aborrecimento evita na vida aquele que não se preocupa com o que seu vizinho diz, ou faz, ou pensa, mas tão somente com o que ele mesmo faz, para que seus atos sejam justos e puros. Ou, conforme dizia Agatão, não desvie seu olhar para as depravações morais daqueles que o cercam, mas foca todo o seu ser em seguir adiante, pela via reta.

19. O homem que se deslumbra pela glória póstuma não imagina que cada um dos que se lembraram dele morrerá também em breve. Depois, a sua vez, morrerá o que lhe sucedeu, até que se extinga toda sua lembrança em um avanço progressivo por meio de objetos que se acendem e se apagam. Mas, supõe que são imortais os que de você se lembrarão, e imortal também a sua lembrança: em que isso afeta? E não quero dizer que nada em absoluto afete o morto; mas ao vivo, que lhe importa o elogio? A não ser em algum caso, por determinado propósito. Portanto, abandone agora essa glória que depende de algo externo.

20. Além do mais, tudo o que é belo, seja o que for, belo é por si mesmo, e em si mesmo completo, sem considerar o elogio como parte de si mesmo. Em consequência, o referido objeto nem se torna pior nem melhor. Afirmo isso, inclusive, tratando-se das coisas que comumente são denominadas belas, como, por exemplo, os objetos materiais e os objetos fabricados. O que, em verdade, é realmente belo e de que você tenha necessidade? Nada mais que a lei, a verdade, a benevolência ou o pudor. Qual dessas coisas é bela pelo fato de ser elogiada ou se destrói por ser criticada? A esmeralda se deteriora porque não a elogiam? E o que dizer do ouro, do marfim, da púrpura, da lira, do punhal, da flor, do arbusto?

21. Se as almas sobrevivem desde a eternidade, consegue o ar dar-lhes vida? E como a terra é capaz de conter os corpos dos que vêm sendo enterrados há tanto tempo? Assim como, depois de certa permanência, a transformação e a dissolução desses corpos cedem lugar a outros cadáveres, também as almas transportadas aos ares, depois de um período de residência ali, se transformam, se dispersam e se inflamam fundindo-se na razão geradora do conjunto, e, dessa forma, dão espaço às almas que vivem em outro lugar. Isso poderia ser respondido na hipótese da sobrevivência das almas. E convém considerar não somente a multidão de corpos que assim são enterrados, mas também a dos animais que diariamente comemos e inclusive os restos de seres vivos. Pois, quão grande número é consumido e, de certa forma, é sepultado nos corpos dos que com eles se alimentam! E, entretanto, têm lugar porque se convertem em sangue, se transformam em ar e fogo. Como investigar a verdade sobre esse ponto? Mediante a diferenciação entre a causa material e a formal.

22. Não se deixe arrastar pelo turbilhão da vida. Pelo contrário, a todo momento, preserve o respeito à justiça e a cada impressão dos sentidos, mantenha aguçada a sua capacidade de compreensão.

23. Harmonize comigo tudo o que para você é harmonioso, ó mundo! Nenhum tempo oportuno para você mesmo é prematuro nem tardio para mim. É fruto para mim tudo o que produzem suas estações, ó natureza! De você tudo procede, em você tudo reside, para você tudo retorna. Aquele diz: "Querida cidade de Cecrops!", e você não dirá "Ah, querida cidade de Zeus!"?

24. Disse alguém: "Realiza poucas atividades, se quer manter o bom humor". Não seria melhor fazer o necessário e tudo quanto prescreve, e da maneira que o prescreve, a razão do ser sociável por natureza? Porque este procedimento não somente procura boa disposição de ânimo para agir bem, mas também é otimismo que provém de estar pouco ocupado. Pois a maior parte das coisas que dizemos e fazemos, ao não serem necessárias, se fossem suprimidas, reportariam bastante mais ócio e tranquilidade. Em consequência, é preciso questionar-se pessoalmente em cada coisa: "não estará isso entre o que não é necessário?" E não somente é preciso eliminar as atividades desnecessárias, mas inclusive as fantasias. Assim, deixarão de acompanhá-las atividades supérfluas.

25. Comprove como é a vida do homem de bem que se contenta com a parte do conjunto que lhe cabe e que tem o suficiente com sua própria atividade justa e com sua benévola disposição.

26. Percebeu aquilo? Preste atenção também nisso. Não se espante. Pareça simples. Alguém errou? Erra consigo mesmo. Aconteceu algo com você? Está bem. Tudo o que sucede a você estava determinado pelo conjunto desde o princípio e estava tramado. Em resumo, breve é a vida. Devemos aproveitar o presente com bom juízo e justiça. Fique sóbrio, com serenidade.

27. Ou um mundo ordenado, ou uma mistura confusa muito revoltosa, mas sem ordem. É possível que exista em você certa ordem e, ao contrário, no todo desordem, precisamente quando tudo está tão transformado, distinto e solidário?

28. Caráter sombrio, caráter afeminado, caráter teimoso, feroz, bruto, infantil, indolente, falso, dissimulado, grosseiro, tirânico!

29. Se estranho ao mundo é quem não conhece o que há nele, não menos estranho é também quem não conhece o que nele acontece. Desertor é o que foge da razão social. Cego o que tem fechados os olhos da inteligência. Mendigo o que tem necessidade de outro e não tem perto de si tudo o que é necessário para viver. Alheio ao mundo o que renuncia e se afasta da razão da natureza comum pelo fato de que está contrariado com o que lhe acontece, pois a natureza que produz os acontecimentos é a mesma que o produziu. Amputa-se do estado aquele que secciona sua própria alma daquelas dos seres racionais, as quais são uma.

30. Um, sem túnica, vive como filósofo; o outro, sem livro; aquele outro, seminu, diz: "Não tenho pão, mas preservo a razão". E eu tenho os recursos que proporcionam os estudos e não persevero.

31. Ame, admita o pequeno ofício que aprendeu, e passe o resto de sua vida como uma pessoa que confiou, com toda a sua alma, todas as suas coisas aos deuses, sem se tornar um tirano nem um escravo de nenhum homem.

32. Pense, por exemplo, nos tempos de Vespasiano. Verá sempre as mesmas coisas: pessoas que se casam, criam seus filhos, adoecem, morrem, promovem a guerra, celebram festas, fazem comércio, cultivam a terra, adulam, são orgulhosos, receiam, conspiram, desejam que alguns morram, murmuram contra a situação presente, amam, aprisionam, ambicionam os consulados e os poderes reais. Pois bem, a vida daqueles já não existe em parte alguma. Lembre-se, agora, dos tempos de Trajano: encontraremos idêntica situação, também aquele modo de viver desapareceu. Da mesma forma, contemple e dirija o olhar ao resto dos documentos dos tempos e de todas as nações, a quantos, depois de tantos esforços, caíram pouco depois e se desintegraram em seus elementos. Especialmente, deve refletir sobre aquelas pessoas que você mesmo viu esforçarem-se em vão, e que se esqueceram de fazer o que estava de acordo com sua constituição: perseverar sem descanso nisso e contentar-se com isso. De tal modo, é necessário considerar que a atenção adequada a cada ação tem seu próprio valor e proporção. Pois, assim, não desanimará, a não ser que ocupe mais tempo do que o apropriado em tarefas fúteis.

33. As palavras, antes familiares, são agora antiquadas. O mesmo ocorre com os nomes de pessoas, que muito celebrados em outros tempos, são agora, de certa forma, locuções ultrapassadas: Camilo, Cesônio, Voleso, Leonato. E pouco depois também Cipião e Catão. Também Augusto. E mais tarde Adriano e Antonino. E digo isso acerca daqueles que resplandeceram de forma maravilhosa em nossa história, pois que todo o resto será esquecido pelos homens logo após o seu último suspiro, e ninguém mais sequer falará deles. E, para concluir esta reflexão: o que seria até mesmo uma memória eterna? Mera vaidade, nada. No que é preciso que coloquemos nosso empenho? Só nisto: pensamentos e intenções retas e justas, ações que visem o bem comum, palavras sinceras, e uma disposição em aceitar de bom grado tudo o que ocorre como algo necessário, natural, que flui do mesmo princípio e da mesma fonte que nos originaram.

34. Entregue-se sem reservas a Cloto[1], permitindo que ela teça a trama de sua vida como considerar melhor.

35. Tudo é efêmero: a lembrança e o objeto lembrado.

36. Contemple continuamente que tudo nasce por transformação, e habitue-se a pensar que nada ama tanto a natureza do conjunto como transformar as coisas existentes e criar novos seres semelhantes. Todo ser, de certa forma, é semente do que dele surgirá. Mas você só entende por sementes aquelas que se lançam à terra ou no útero das mães. É uma forma limitada de pensar sobre isso.

1. Divindade que estica o fio dos destinos dos seres humanos (N. d. E.)

37. Estará morto em seguida, e ainda não é nem simples, nem imperturbável, nem anda sem receio de que possam lhe causar dano o que é exterior, nem tampouco é benévolo para com todos, nem mede a sensatez na prática exclusiva da justiça.

38. Examine com atenção seus guias interiores e indague o que evitam os sábios e o que perseguem.

39. O que lhe causa o mal não subsiste na alma alheia, nem em qualquer modificação ou mutação do seu corpo material. Onde estará, então? O que lhe causa o mal subsiste em você mesmo, na parte onde reside o poder de formar opinião acerca dos infortúnios da sua vida. Faça com que tal poder abdique de tais opiniões, e tudo irá bem. E ainda no caso de que seu mais próximo vizinho, o corpo, seja cortado, queimado ou apodreça, mantenha tranquila a pequena parte que sobre isso opina, ou seja, não julgue nem mal nem bom o que igualmente pode acontecer a um homem mau e a um bom. Porque o que acontece tanto ao que vive conforme a natureza como ao que vive contra ela, isso nem é conforme a natureza nem contrário a ela.

40. Conceba sem cessar o mundo como um ser vivo único, que contém uma só substância e uma alma única, e como tudo se refere a uma só faculdade de sentir, a sua, e como tudo o faz com um só impulso, e como tudo é responsável solidariamente de tudo o que acontece, e qual é a trama e o contexto.

41. Como dizia Epiteto: você é uma pequena alma que carrega consigo um cadáver.

42. Nenhum mal acontece ao que está em vias de transformação, como tampouco nenhum bem ao que nasce por consequência de uma transformação.

43. O tempo é como um rio formado de eventos, uma torrente que carrega tudo adiante; pois assim que algo é percebido, logo é carregado pelas águas do tempo, e outra coisa logo toma o seu posto – e logo esta também terá escorrido entre nossos dedos.

44. Tudo o que acontece é tão habitual e bem conhecido como a rosa na primavera e os frutos no verão; algo parecido ocorre com a enfermidade, a morte, a difamação, a conspiração e tudo quanto alegra ou aflige os ignorantes.

45. As consequências estão sempre vinculadas com os antecedentes; pois não se trata de uma simples enumeração separada por necessidade, mas de uma combinação racional. E assim como as coisas que existem têm uma coordenação harmônica, assim também os acontecimentos que se produzem manifestam não uma simples sucessão, mas certa admirável afinidade.

46. Lembre-se sempre dos ensinamentos de Heráclito: a morte da terra é tornar-se água; a morte da água é tornar-se ar; a morte do ar é tornar-se fogo; e vice-versa. E pense também no homem que se esquece do destino do caminho. E lembre como os homens estão sempre se digladiando com aquilo com o que estão mais constantemente em comunhão: a razão que governa o universo; e as coisas que eles encontram diariamente, e que lhes parecem tão estranhas. E considere que não deveríamos agir nem falar como se estivéssemos adormecidos, pois que mesmo nos sonhos nós parecemos agir e falar; tampouco deveríamos falar e agir como crianças que imitam os seus pais, e apenas repetem o que aprenderam.

47. Como se um deus tivesse lhe dito: "amanhã morrerá ou, em todo caso, depois de amanhã", não deveria se importar com a data exata, que fosse num ou noutro dia, a menos que pertencesse ao grupo dos maiores covardes, pois quão pequena seria a diferença! Assim, considere também que não há grande diferença entre morrer amanhã ou daqui a muitos anos.

48. Considere sem cessar quantos médicos morreram depois de terem fechado os olhos repetidas vezes dos seus doentes; quantos astrólogos, depois de terem previsto, como fato importante, a morte de outros; quantos filósofos, depois de terem sustentado inúmeras discussões sobre a morte ou sobre a imortalidade; quantos chefes, depois de terem matado muitos; quantos tiranos, depois de terem abusado, como se fossem imortais, com tremenda arrogância, de seu poder sobre vidas alheias, e quantas cidades inteiras, por assim dizer, morreram: Hélice, Pompeia, Herculano e outras incontáveis. Acrescente também, um após o outro, todos o que conhecera. Este, depois de haver tributado as honras fúnebres a aquele, foi sepultado em seguida por outro; e assim sucessivamente. E tudo em pouco tempo. Assim, examine sempre as coisas humanas como efêmeras e carentes de valor: ontem, germe; amanhã, múmia ou cinza. Portanto, percorra este pequeno lapso de tempo obediente à natureza e termine sua vida alegremente, como a azeitona que, madura, caísse elogiando a terra que lhe deu vida e dando graças à árvore que a produziu.

49. Seja igual ao rochedo contra o qual, sem interrupção, se quebram as ondas. Este se mantém firme, e em torno dele adormece a espuma da onda. "Sou infeliz, porque isso me aconteceu". Mas não, ao contrário: "sou feliz, porque, devido ao que me ocorreu, persisto até o fim sem aflição, nem perturbado com o presente nem assustado com o futuro". Porque algo semelhante poderia acontecer a todo mundo, mas nem todo mundo poderia seguir até o fim, sem aflição, depois disso. E por que, então, será isso um infortúnio mais que boa fortuna? Acaso denominas, afinal, desgraça de um homem ao que não é desgraça da natureza do homem? E acredita ser aberração da natureza humana o que não vai contra o desígnio de sua própria natureza? Por que, então? Aprendeu tal desígnio? Acaso qualquer acidente o impedirá de ser justo, magnânimo, sábio, circunspecto, verídico, modesto, livre... De possuir aquelas virtudes cujo conjunto constitui o caráter essencial da natureza humana? Finalizando, diante de qualquer fato que lhe cause desgosto, lembre-se de recorrer a esta reflexão: isto não é uma infelicidade, mas suportá-lo corajosamente é uma felicidade.

50. Remédio simples, mas eficaz, para menosprezar a morte, é lembrar-se dos que se apegaram com tenacidade à vida. O que mais têm em relação aos que morreram prematuramente? Em qualquer caso, jazem em alguma parte Ceciliano, Fábio, Juliano, Lépido e outros como eles, que a tantos levaram à tumba, para serem também eles levados depois. Em resumo, pequeno é o intervalo de tempo entre o nascimento e a morte; e esse, através de quantas dificuldades, em companhia de que tipo de homens e em que corpo passará! Depois não se preocupe. Olhe atrás de si o abismo da eternidade e adiante outro infinito. À vista disso, em que se distinguem a criança que viveu três dias e o que viveu três vezes a idade de Nestor, o gereniano?

51. Siga sempre pelo caminho mais curto, e o mais curto é o que está de acordo com a natureza. Em consequência, fale e aja em tudo da maneira mais correta, pois tal propósito libera das aflições, da disciplina militar, de toda preocupação administrativa e afetação.

Conforme forem os seus pensamentos habituais e diários, da mesma forma será o caráter geral da sua alma, pois que os pensamentos são como a tinta que colore a mente.

Livro 5

1. Ao amanhecer, quando for difícil se levantar, recorra a este pensamento: "desperto para cumprir uma tarefa própria de homem".

Irei, pois, continuar insatisfeito, se me encaminho para fazer aquela tarefa que justifica minha existência e para a qual nasci? Ou, por acaso, nasci para viver agasalhado entre cobertores? "Mas isso é mais agradável". Nasci, pois, para desfrutar? E, em resumo, nasci para a passividade ou para a atividade? Não vê que os arbustos, os pássaros, as formigas, as aranhas, as abelhas, cumprem sua função própria, contribuindo por sua conta para a ordem do mundo? E você se recusa a fazer o que é próprio do homem? Não persegue com afinco o que está de acordo com a sua natureza? "Mas é necessário também repousar". Sim, é necessário; também eu repouso. Mas a natureza delimitou limites para o repouso, como também fixou limites na comida e na bebida e, apesar disso, não ultrapassa a medida, excedendo-se mais do que é suficiente? E em suas ações não somente não cumpre o suficiente, como também fica aquém de suas possibilidades. Assim, não ama a si mesmo, porque certamente naquele caso amaria sua natureza e seu propósito. Outros, que amam sua profissão, consomem-se no exercício do trabalho idôneo, sem cuidar de sua higiene e sem comer. Mas você estima menos sua própria natureza que o cinzelador sua cinzeladura, o dançarino sua dança, o avarento seu dinheiro, o presunçoso sua vanglória. Estes, entretanto, quando sentem paixão por algo, nem comer nem dormir querem antes de terem contribuído para o progresso daqueles objetivos aos quais se entregam. E você acha que as atividades comunitárias são desprovidas de valor e merecedoras de menos atenção?

2. Quão fácil é recusar e apagar toda imaginação incômoda ou imprópria, e imediatamente encontrar-se em uma calma total!

3. Julgue-se digno de toda palavra e ação de acordo com a natureza; e que a crítica que alguns suscitarão a seu respeito não o desvie do seu caminho. Ao contrário, se foi bom ter agido e ter falado, não se considere indigno, pois aqueles têm seu guia particular se valem de sua particular inclinação. Mas não cobice essas coisas e atravesse o caminho reto em consonância com sua própria natureza e com a natureza comum, pois o caminho de ambas é único.

4. Caminho seguindo as trilhas de acordo com a natureza, até cair e ao fim descansar, expirando neste ar que respiro todos os dias e caindo nesta terra de onde meu pai colheu a semente, minha mãe o sangue e minha ama o leite; de onde, a cada dia, depois de tantos anos, me alimento e me refresco; que me sustenta enquanto caminho, e da qual me beneficio de tantas maneiras.

5. "Não podem admirar sua perspicácia". Está bem. Mas existem outras muitas qualidades sobre as quais não pode dizer: "não tenho dons naturais". Procure, pois, aquelas que estão inteiramente em suas mãos: a integridade, a gravidade, a resistência ao esforço, o desprezo aos prazeres, a resignação frente ao destino, a necessidade de poucas coisas, a benevolência, a liberdade, a simplicidade, a austeridade, a magnanimidade. Não percebe quantas qualidades pode procurar já, em relação às quais não tem pretexto algum de incapacidade natural nem de insuficiente aptidão? Contudo, persiste ainda por própria vontade aquém de suas possibilidades. Acaso se vê obrigado a murmurar, a ser mesquinho, a adular, a culpar o teu corpo, a se comprazer, a se comportar imprudentemente, a ter sua alma tão inquieta por causa de sua carência de aptidões naturais? Não, pelos deuses! Há tempos poderia estar livre desses defeitos, e apenas ser acusado talvez de excessiva lentidão para compreender. Mas também isso é algo que deve ser exercitado, sem menosprezar a lentidão nem se comprazer nela.

6. Existe certo tipo de homem que, quando faz um favor a alguém, está disposto também a cobrar-lhe o favor; enquanto outra pessoa não está disposta a agir assim. Mas, contudo, em seu interior, o considera como se fosse um devedor e é consciente do que fez. Um terceiro nem sequer é consciente do que fez, mas é semelhante a uma vinha que produziu frutos e nada mais reclama depois de ter produzido o fruto que lhe é próprio, como o cavalo que galopou, o cachorro que seguiu o rastro da presa ou a abelha que produziu o mel. Assim, o homem que fez um favor não persegue um benefício, mas o cede a outro, do mesmo modo que a vinha se empenha em produzir novos frutos a seu devido tempo. Depois, é preciso encontrar-se entre os que agem assim, de certa forma, inconscientemente? "Sim, mas é preciso perceber isso; porque é próprio do ser social, manifestar-se, perceber que age de acordo e conforme o bem comum, e, por Zeus, também querer que o outro perceba". Certo é o que diz, mas perceba o que acabo de dizer. Por isso você será um daqueles que mencionei anteriormente, pois aqueles também se deixam extraviar por certa aparência lógica. E se tentar compreender o sentido das minhas palavras, não temerá, por isso, realizar qualquer ação útil à sociedade.

7. Uma oração dos atenienses diz: "Envia-nos a chuva, envia-nos a chuva, amado Zeus, sobre nossos campos de cultivo e prados". Ou não é preciso rezar, ou é preciso fazê-lo assim, com simplicidade e espontaneidade.

8. Como é costume dizer: "Esculápio lhe prescreveu a equitação, os banhos de água fria, o caminhar descalço", de modo similar também isso: "a natureza universal ordenou para este uma doença ou uma mutilação ou a perda de um órgão ou alguma outra coisa semelhante". Isso significa que lhe prescreveu este tratamento como apropriado para recuperar a saúde. Indica que o que acontece a cada um lhe foi, de certa forma, designado como correspondente ao seu destino. Assim também nós dizemos que o que nos acontece nos convém, assim como os pedreiros costumam dizer que nas muralhas ou nas pirâmides as pedras quadrangulares encontram-se umas com as outras, harmoniosamente, segundo determinado tipo de combinação. Em resumo, harmonia não há mais que uma, e do mesmo modo que o mundo, corpo de tais dimensões, complementa-se com os corpos, assim também o destino, causa de tais dimensões, complementa-se com todas as causas. E inclusive, os mais ignorantes compreendem minhas palavras, pois dizem: "o destino trouxe isso". Assim, isso lhe foi trazido e lhe foi designado. Aceitemos, pois, esses acontecimentos como as prescrições de Esculápio. Muitas são, na verdade, duras, mas as abraçamos com a esperança da saúde. Gere em você impressão semelhante o cumprimento e consumação do que decide a natureza comum, como se fosse a sua própria saúde. E da mesma forma abrace tudo o que lhe acontece, ainda que lhe pareça penoso, porque conduz àquele objetivo, à saúde do mundo, ao progresso e ao bem-estar de Zeus. Pois não haveria acontecido algo assim se não fosse importante para o todo; porque a natureza, qualquer que seja, nada produz que não se adapte ao ser governado por ela. Dessa forma, você tem duas razões para amar o que sucede em sua vida: uma, porque foi concebido e prescrito para você, e de qualquer modo já estava lá inserido, desde o princípio, no fio da sua vida; outra, porque aos olhos daquele que administra o universo, tudo o que se sucede a cada ser em particular concorre para à ordem, à perfeição e à própria continuidade do universo em si. Assim sendo, o todo violaria a sua própria integridade caso atentasse contra o encadeamento de suas partes ou a concatenação de suas causas. Mas é você mesmo quem viola a sua integridade, dessa mesma forma, sempre que se revolta contra o seu destino.

9. Não fique insatisfeito, nem desanime, nem fique impaciente, se nem sempre for possível agir de acordo com princípios retos. Pelo contrário, quando for menosprezado, recobre a tarefa com renovado ímpeto e fique satisfeito se a maior parte de suas ações forem mais humanas e se ama aquilo ao qual, novamente, encaminhas seus passos, e não recorras à filosofia como a um professor de escola, mas como os que têm alguma enfermidade nos olhos se encaminham à esponja e à clara de ovo, como outro recorre à cataplasma, como outro à loção. Pois assim não se colocará contrário à razão, mas, sim, repousará nela. Lembre-se também de que a filosofia só quer o que a sua natureza quer, enquanto que você queria outra coisa contrária à natureza. Porque, que coisa é mais agradável que isso? Não nos seduz o prazer por seus atrativos? Mas, examine se é mais agradável a grandeza da alma, a liberdade, a simplicidade, a benevolência, a santidade. Existe algo mais agradável que a própria sabedoria, sempre que considere que a estabilidade e o progresso procedem em todas as circunstâncias da faculdade da inteligência e da ciência?

10. Conforme as coisas mergulham, por assim dizer, em certa obscuridade, há filósofos que creem em coisas inteiramente inefáveis. Até mesmo os estoicos parecem ter achado coisas difíceis de compreender. Afinal, nossos julgamentos são instáveis: onde está o homem que nunca mudou de opinião? Agora, compare isso tudo com os objetos: como são efêmeros, insignificantes, expostos a cair nas mãos de prostitutas, de devassos ou de ladrões. Em seguida, examine a moral daqueles com quem você convive: é quase intolerável suportar os menos imorais, para não dizer que cada um mal suporta a si mesmo. Ora, o que então pode ser valorizado, o que deve ser inteiramente desejado em meio às trevas e à corrupção desta torrente das coisas através do tempo? Não consigo imaginar. Assim sendo, o consolo está na esperança da dissolução natural, e que não se fique impaciente se ela tardar em chegar. Mantenha-se confiante nestes dois pensamentos: primeiro, que nada me ocorrerá que não esteja em conformidade com a natureza do universo; segundo, que depende somente de mim mesmo abdicar de violar ao meu deus e ao meu *daemon*: pois que não há homem que possa me obrigar a tal.

11. No que estou empenhando minha alma agora? Em cada ocasião eu devo perguntar a mim mesmo essa questão, e investigar: o que se passa neste momento em minha parte chamada de princípio governante? E minha alma está se comportando de que forma: tal qual uma criança, um jovem inconsequente, uma mulher descontrolada, um tirano ou um animal?

12. Podemos aprender até mesmo com as coisas que a multidão considera boas, porque se alguém pensasse de verdade que certas coisas são boas, como a sabedoria, a prudência, a justiça, a coragem, depois de uma compreensão prévia desses conceitos, não seria capaz de ouvir isso: "tão cheio está de bens", pois não harmonizaria com ele tal característica. Caso o homem classifique como bom o que somente aparenta ser, ele ouvirá os escritos do poeta cômico e de imediato os considerará aplicáveis. Até que ponto a sociedade intui a diferença! Entretanto, esse verso não deixaria de chocar nem de ser repudiado, enquanto que aquele, tratando-se da riqueza e boa fortuna que conduzem ao luxo ou à fama, o acolhemos como apropriado e elegante. Assim, vá em frente e pergunte se é preciso conceder apreço e estimar como bens coisas que, se fossem avaliadas apropriadamente, poderia concluir-se que seu possuidor, devido à abundância de bens, "não tem um canto para se aliviar".

13. Sou composto de forma e matéria; nenhum desses elementos acabará em nada, da mesma forma que tampouco surgiram do nada. Assim, qualquer parte minha será designada por transformação a uma parte do universo; por sua vez, aquela se transformará em outra parte do universo, e assim até o infinito. E por uma transformação similar eu nasci, e também meus progenitores, sendo possível remontarmos até outro infinito. Porque nada impede de falar assim, ainda que o universo seja governado por períodos limitados.

14. A razão e o método lógico são faculdades autossuficientes para si e para as operações que lhes concernem. Partem, assim, do princípio que lhes é próprio e caminham a um fim preestabelecido; por isso tais atividades são denominadas "ações retas", porque indicam a retidão do caminho.

15. Nenhuma das coisas que não competem ao homem, enquanto homem, deve este observar. Não são exigências do homem, nem sua natureza as anuncia, nem tampouco são perfeições da natureza do homem. Pois bem, tampouco reside nelas o fim do homem, nem tampouco o que contribui a culminar o fim: o bem. E mais: se algumas dessas coisas pertencessem ao homem, não seria de sua incumbência menosprezá-las nem se revoltar contra elas; tampouco poderia ser elogiado o homem que se apresentasse como se não tivesse necessidade delas, se realmente elas fossem bens. Mas agora, quanto mais alguém se despoja dessas coisas ou outras semelhantes ou inclusive suporta ser despojado de uma delas, tanto mais é homem de bem.

16. Conforme forem os seus pensamentos habituais e diários, da mesma forma será o caráter geral da sua alma, pois que os pensamentos são como a tinta que colore a mente. Sendo assim, faça com que ela seja tingida por pensamentos como estes: em qualquer lugar em que se pode viver, pode-se viver bem. Já que podemos viver numa corte, pode-se perfeitamente viver bem numa corte. Isto é: cada ser foi criado para cumprir a sua natureza. Assim, onde estiver a natureza de cada um, lá estará o que lhe é útil e bom. Dessa forma, o bem do ser humano é a sociedade, pois há tempos se demonstrou que foi para a vida em comum que nós fomos gerados. Não é evidente que os inferiores existem para se inspirarem nos superiores? Ora, mas as coisas que possuem vida são superiores às coisas inanimadas, e entre os seres vivos são superiores aqueles que possuem a faculdade da razão.

17. É loucura tentar alcançar o que é impossível, assim como é impossível que os ignorantes e os maus não se enredem nesse tipo de ilusão.

18. Nenhum infortúnio atinge a vida de alguém a quem a natureza não conferiu forças para suportar. Ora, saiba que os mesmos percalços se passam com os outros que, por ignorarem seu significado, ou para ostentarem uma suposta grandeza da alma, acabam por se comportar de forma digna, impassíveis ante a sua sorte. No entanto, é lamentável que em geral a ignorância e a vaidade sejam mais eficazes do que a sabedoria.

19. As coisas por si mesmas não tocam em absoluto a alma nem têm acesso a ela nem podem girá-la nem conseguem movê-la. Somente ela se gira e move a si mesma, e faz com que as coisas submetidas a ela sejam semelhantes aos juízos que estime dignos de si.

20. Em um aspecto o homem é o que há de mais aparentado a nós, tanto que devemos lhes fazer bem e suportá-los. Mas na medida em que são obstáculos às ações que me são próprias, convertem-se os homens em algo indiferente para mim, não menos que o sol, o vento ou a besta. E por culpa desses poderia ser criado obstáculo para alguma das minhas atividades, mas graças ao meu instinto e à minha disposição, não são obstáculos, devido à minha capacidade de seleção e de adaptação às circunstâncias. Porque a inteligência derruba e afasta tudo o que é obstáculo para sua atividade encaminhada ao objetivo proposto, e converte-se em ação o que retinha essa ação, e em caminho o que era obstáculo nesse caminho.

21. Aprenda a reverenciar o que há de melhor no universo, o que se serve de tudo, e comanda todas as coisas. Da mesma forma, reverencie o que há de melhor em si mesmo, uma parte semelhante a aquela, pois é o que a tudo comanda em seu interior, e o que governa a sua vida.

22. Aquilo que não lesa a cidade não lesa o seu cidadão. Sempre que julgar que foi lesado, aplica esta regra: se a cidade não foi prejudicada, eu também não fui. E, se a cidade acaso foi de fato lesada, não devo me revoltar contra quem a lesou, mas tão somente demonstrar onde ele errou.

23. Pense com certa frequência na velocidade com que as coisas surgem e logo desvanecem, tanto as naturais como as produzidas pelo homem. Tal qual um rio, a substância é um perene fluir: a energia passa por constantes transmutações, as causas operam por variedades infinitas. Quase nada permanece muito tempo de pé. E considere isto que está próximo a você: tal abismo sem beira onde se encontram numa direção o passado, noutra o futuro, e onde tudo o que existe se esvai. Assim, não será um tolo quem muito se orgulha, se aflige ou se lamenta em meio a este fluir, como se ele próprio fosse perdurar por muitas gerações?

24. Lembre-se da totalidade da substância, da qual participa minimamente, e a totalidade do tempo, do qual lhe foi destinado um intervalo breve e insignificante, e do destino, do qual constitui uma débil parte.

25. Comete outro uma falta contra mim? Isso diz respeito a ele. Tenho eu agora o que a comum natureza quer que eu tenha agora, e faço o que minha natureza quer que eu agora faça.

26. Seja o guia interior e soberano de sua alma uma parte indiferente ao movimento, suave ou áspero, da carne, e não se misture, mas que se circunscreva, e limite aquelas paixões às suas respectivas partes. E quando estas progredirem e alcançarem o entendimento, por efeito da simpatia que as une, então não terá que resistir à sensação, que é natural, mas tampouco autorize o guia interior de, por si, opinar de que se trata de um bem ou de um mal.

27. Viva junto aos deuses. Convive com os deuses aquele que constantemente lhes demonstra que sua alma está satisfeita com a parte que lhe foi destinada, e faz tudo quanto quer o gênio divino, que, na qualidade de protetor e guia, fração de si mesmo, designou Zeus a cada um. E esta divindade é a inteligência e razão de cada um.

28. Você se incomoda com o mau cheiro? O mau hálito alheio o tira do sério? Que pode fazer? Assim é sua boca, assim são suas axilas; é necessário que tal emanação saia de tais causas. "Mas o homem tem razão, afirma, e pode compreender, se reflete, a razão pela qual se incomoda". Seja parabenizado! Pois você também tem razão. Incite com sua disposição lógica a disposição lógica dele, faça-o compreender, sugira a ele. Pois se o atender, se corrigirá e não haverá necessidade de se irritar.

29. Está em seu poder viver onde quer que deseje viver. No entanto, se há homens cujos maus hábitos não lhe permitem se estabelecer em dado local, então tome o caminho do exílio, como se isto não fosse algum mal: "Minha casa está em chamas, e eu a abandonarei". Aliás, por que você imagina que seria um mal? Em todo caso, enquanto não vem ninguém para me exilar da minha residência, eu permaneço aqui, livre, e nenhum homem poderá me obrigar a fazer algo contra a minha vontade; e a minha vontade está sempre de acordo com a natureza do ser racional e social.

30. A inteligência do universo tem caráter comunitário. Assim, certamente, criou seres inferiores em função dos superiores, e com relação aos superiores os organizou, harmonizando-os entre si. Veja como ela contemplou a subordinação, a coordenação e a distribuição de todas as coisas conforme seu valor e organizou os melhores entre os seres para viverem com o objetivo de uma concórdia mútua!

31. Como tem se comportado até agora com os deuses, com seus pais, seus irmãos, sua mulher, seus filhos, seus mestres, seus preceptores, seus amigos, seus familiares, seus criados? Acaso no trato com todos até agora pode aplicar: "nem fazer mal a ninguém nem o dizer"? Lembre-se das coisas pelas quais passou e o cansaço que fora capaz de aguentar. Lembre-se de que a história da sua vida já está completa; e seu serviço, cumprido; e de quantas coisas belas viu, quantos prazeres e dores desdenhou, quantas glórias deixou escapar; com quantos insensatos se comportou com deferência.

32. Por que almas rudes e ignorantes confundem uma alma instruída e sábia? Qual é, pois, uma alma instruída e sábia? A que conhece o princípio e o fim e a razão que abarca a substância do conjunto e que, ao longo de toda a eternidade, governa o Todo de acordo com ciclos determinados.

33. Dentro de pouco, cinza e esqueleto, e ou bem um nome ou nem sequer um nome; e o nome, um ruído e um eco. E inclusive as coisas mais estimadas na vida são vazias, podres, pequenas, cães que se mordem, crianças que amam a briga, que riem e em seguida choram. Pois a confiança, o pudor, a justiça e a verdade, "ao Olimpo, longe da terra de largos caminhos". O que é, pois, o que ainda o detém aqui, se as coisas sensíveis são mutáveis e instáveis, se os sentidos são cegos e susceptíveis de receber facilmente falsas impressões, e o mesmo hálito vital é uma exalação do sangue, e a boa reputação entre gente assim algo vazio? O que, então? Aguardará benévolo sua extinção ou seu traslado? Mas, quando se apresenta aquela oportunidade, o que basta? E que outra coisa senão venerar e bendizer aos deuses, fazer bem aos homens, lhes dar suporte e abster-se? E em relação a quanto se encontra dentro dos limites de sua carne e hálito vital, lembre-se de que isso nem é teu e nem depende de você.

34. Pode viver bem a sua vida, se é capaz de caminhar pelo bom caminho, se é capaz de pensar e agir com método. Essas duas coisas são comuns à alma de Deus, à alma do homem e à alma de todo ser racional: o não ser impedido por outro, o buscar o bem em uma disposição e atuação justa e o colocar fim a sua aspiração aqui.

35. Se isso nem é maldade pessoal nem resultado de minha maldade nem prejudica a comunidade, por que inquietar-me por isso? E qual é o mal à comunidade?

36. Não se deixe arrastar totalmente pela imaginação; antes, ajude na medida de suas possibilidades e segundo o mérito de cada um; e ainda que estejam em inferioridade nas coisas medíocres, não imagine, entretanto, que isso é prejudicial, pois seria um mau hábito. E assim como o ancião que, ao partir, pedia o pião de seu pequeno, sabendo que era apenas um pião, você também age assim. Logo se encontrará na tribuna e dirá que se esqueceu de que se tratava? Por acaso você irá também enlouquecer?

É vergonhoso que, no decorrer de uma vida na qual seu corpo não desfalece, neste desfaleça primeiramente sua alma.

Livro 6

1. A substância do conjunto universal é dócil e maleável. E a razão que a governa não tem em si nenhum motivo para fazer mal, pois não tem maldade, e nem faz mal algum nem nada recebe mal daquela. Tudo se origina e chega a seu fim de acordo com essa razão.

2. É indiferente para você passar frio ou calor, cumprir seu dever, passar a noite em vigília ou se fartar de dormir, ser criticado ou elogiado, morrer ou fazer outra coisa. Pois uma das ações da vida é também aquela pela qual morremos. Assim, basta também para este ato dispor o momento presente.

3. Contemple a essência. Não deixe que a qualidade peculiar das coisas, ou seu valor, ou qualquer outra aparência o iluda.

4. Todas as coisas que existem rapidamente serão transformadas e, ou evaporarão, se a substância é uma, ou se dispersarão.

5. A razão que governa sabe como se encontra, o que faz e sobre qual matéria.

6. A melhor maneira de se defender é não se assemelhar a eles.

7. Regozije-se e repouse em uma só coisa: em passar de uma ação útil à sociedade a outra ação útil à sociedade, tendo sempre Deus presente.

8. O guia interior é o que desperta a si mesmo, que se gira e se faz a si mesmo como quer, e faz com que todo acontecimento lhe pareça tal como ele quer.

9. É em conformidade com a natureza do universo que tudo se cumpre, e não segundo uma outra natureza a envolvê-lo externamente, ou contida em seu interior, ou totalmente independente dele.

10. Que é o universo: ou uma confusão, uma dispersão geral das coisas, ou uma unidade onde tudo segue alguma ordem e providência. No primeiro caso, por que eu desejaria viver muito tempo nesse caos sem nexo de combinações fortuitas? E por que deveria me importar com algo além de quando eu retornarei à terra? Por que me perturbaria com algo mais, uma vez que não tenho como fugir da dissolução? Já no segundo caso, se for a realidade, então eu venero aquele que me governa, nele repouso e confio minha vida.

11. Sempre que estiver obrigado pelas circunstâncias a sentir-se confuso, retorne a si mesmo rapidamente e não se desvie fora de seu ritmo mais do que o necessário. Quanto menos se afastar do seu estado de harmonia interior, melhor dominará esta técnica.

12. Se tivesse simultaneamente uma madrasta e uma mãe, atenderia a primeira, mas, contudo, as visitas a sua mãe seriam contínuas. Isso você tem agora: o palácio e a Filosofia. Assim, pois, retorne frequentemente a ela e nela repouse; graças a esta, as coisas do palácio lhe parecerão suportáveis e você, em meio a elas se fará suportável.

13. Quando temos carne e outros pratos diante de nós, temos a impressão de se tratar de um cadáver de peixe, de ave ou de outro animal. E quando temos um vinho da região de Falerno, pode nos parecer nada além de um suco de uva. E se vemos um manto vermelho, nos lembramos de que se trata de lã de carneiro tingida com sangue de marisco. Estas são impressões que passam pelo crivo de nosso pensamento, e assim vemos as coisas em si mesmas, penetrando-as em seu âmago. É da mesma forma que devemos proceder em cada ação da vida, e quando cruzarmos com as coisas que aparentam ser dignas da nossa aprovação, nós as devemos penetrar em sua essência, isolá-las de todos os elogios e exaltações, vê-las como realmente são. Pois que a adulação externa é uma exímia corruptora da razão, que pode lhe iludir precisamente quando julga ter encontrado algo digno do seu zelo.

14. A maior parte das coisas que o povo admira se refere às mais gerais, às constituídas por uma espécie de ser ou natureza: pedras, madeira, figueiras, vinhas e oliveiras. As pessoas um pouco mais comedidas tendem a admirar os seres animados, como os rebanhos de vacas, ovelhas ou, simplesmente, a propriedade de escravos. E as pessoas ainda mais agraciadas, as coisas realizadas pelo espírito racional, mas não o universal, e sim aquele que tanto é hábil nas artes ou engenhoso de outras maneiras (ou simplesmente capaz de adquirir multidão de escravos). Mas o que honra a alma racional universal e social não direciona seu olhar a nenhuma das demais coisas, e diante de tudo, procure conservar sua alma em disposição e movimento em acordo com a razão e o bem comum, e colabore com seu semelhante para alcançar esse objetivo.

15. Algumas coisas estão se precipitando à existência, enquanto outras estão desvanecendo; e, das que vêm à existência, uma parte logo se extingue. Fluxos e mutações renovam o mundo incessantemente, assim como o curso ininterrupto do tempo está sempre renovando a duração infinita das eras. Em meio a esse rio, sobre o qual não é possível deter-se, que coisas entre as que passam correndo poderiam ser estimadas? Como se alguém começasse a se apaixonar pelas aves que voam ao nosso redor, e logo desaparecem diante de nossos olhos. Tal é, de certa forma, a vida de cada um, como a exalação do sangue e a inspiração do ar. Pois, assim como o inspirar uma vez o ar e expulsá-lo, coisa que fazemos a cada momento, também é devolver ali, de onde retirou pela primeira vez, toda a faculdade respiratória, que você adquiriu ontem ou anteontem, recém-chegado ao mundo.

16. Nem é valoroso transpirar como as plantas, nem respirar como o gado e as feras, nem ser impressionado pela imaginação, nem ser movido como uma marionete pelos impulsos, nem agrupar-se como rebanhos, nem alimentar-se; pois isso é semelhante à evacuação das sobras de comida. O que vale a pena, então? Ser aplaudido? Não. Assim, tampouco ser aplaudido pelo bater de línguas, porque os elogios da sociedade são bater de línguas. Portanto, renunciou também à vanglória. O que sobra como digno de estima? Opino que o mover-se e manter-se de acordo com a própria constituição, fim ao qual conduzem as ocupações e as artes. Porque toda arte aponta para esse objetivo, para que a coisa constituída seja adequada à obra que motivou sua constituição. E tanto o homem que se ocupa do cultivo da vinha, como o domador de cavalos, e o que adestra cães, perseguem esse resultado. E a que objetivo tendem com afinco os métodos de educação e ensino? À vista está, pois, o que é digno de estima. E se nisso tiver êxito, nenhuma outra coisa o preocupará. E não deixará de estimar outras coisas? Então nem será livre, nem bastará a si mesmo, nem estará isento de paixões. Será necessário que inveje, tenha ciúme, receie os que possam tirar-lhe os seus bens, e terá necessidade de conspirar contra os que têm o que você valoriza. Em resumo, forçosamente a pessoa que sente falta de alguns daqueles bens estará perturbada e, além disso, censurará muitas vezes aos deuses. Mas o respeito e a estima ao seu próprio pensamento farão de você uma pessoa satisfeita consigo mesmo, perfeitamente adaptado aos que convivem ao seu lado e em concordância com os deuses, isso é, um homem que louva o que lhe foi concedido e designado.

17. Para cima, para baixo, em círculo, são os movimentos dos elementos. Mas o movimento da virtude não se encontra em nenhum desses, mas é algo um tanto divino e segue seu curso favorável por um caminho difícil de conceber.

18. Curiosa atuação! Não querem falar bem dos homens de seu tempo e que vivem ao seu lado, e, em troca, têm em grande estima serem elogiados pelas gerações vindouras, a quem nunca viram nem verão. Isso vem a ser como se se afligisse porque seus antepassados não lhe deixaram palavras de elogio.

19. Não pense, se algo se resulta difícil e doloroso, que isso seja impossível para o homem; antes bem, se algo é possível e natural ao homem, pense que também está ao seu alcance.

20. Nas lutas dos ginásios, alguém nos arranhou com suas unhas e nos feriu com uma cabeçada. Entretanto, nem o colocamos de manifesto, nem nos incomodamos, nem achamos que foi proposital. Podemos ficar alertas, mas não como se fosse um inimigo, nem com receio, mas esquivando-o benevolamente. Algo parecido ocorre nas demais conjunturas da vida. Deixemos de lado muitos receios mútuos dos que são, por assim dizer, nossos oponentes no jogo. Porque é possível, como dizia, evitá-los, mas não os odiar.

21. Se alguém pode refutar-me e provar de modo conclusivo que penso ou procedo incorretamente, de bom grado mudarei minha forma de agir. Pois persigo a verdade, que nunca prejudicou ninguém. Só é prejudicial o que persiste em seu próprio engano e ignorância.

22. Eu, pessoalmente, faço o que devo; as demais coisas não me atraem, pois ou carecem de vida, ou de razão, ou são indivíduos desnorteados e que desconhecem seu caminho.

23. Aos animais irracionais e, em geral, às coisas e aos objetos submetidos aos sentidos, que carecem de razão, você, posto que está dotado de entendimento, trate-os com magnanimidade e liberalidade; mas aos homens, como dotados de razão, trate-os ademais sociavelmente.

24. Alexandre, da Macedônia, e seu cavalariço, uma vez mortos, encontram-se em uma mesma situação; pois, ou foram reabsorvidos pelas razões geradoras do mundo ou foram igualmente desagregados em átomos.

25. Perceba quantas coisas, no mesmo lapso de tempo, brevíssimo, brotam simultaneamente em cada um de nós, tanto físicas como espirituais. E assim não se surpreenderá de que muitas coisas, mais ainda, todos os acontecimentos da vida residam ao mesmo tempo no ser único e universal, que chamamos mundo.

26. Se alguém lhe faz a pergunta de como se escreve o nome Antonino, não soletraria cada uma de suas letras? E se ele se aborrecesse, replicaria você também se aborrecendo? Não seguiria enumerando tranquilamente cada uma das letras? Da mesma forma, também aqui, considere que todo dever se cumpre mediante certos cálculos. É preciso olhá-los com atenção sem perturbar-se nem se incomodar com os que se incomodam, e cumprir metodicamente o proposto.

27. Quão cruel é não permitir aos homens que dirijam seus impulsos ao que lhes parece apropriado e conveniente! E o certo é que, de algum modo, não estás de acordo em que façam isso, sempre que se aborrece com eles por suas falhas. Porque se mostram absolutamente arrastados ao que consideram apropriado e conveniente para si. "Mas não é assim". Consequentemente, esclareça-os e demonstre a eles, mas sem irritar-se.

28. A morte é o descanso da reação sensitiva, do impulso instintivo que nos move como fantoches, da evolução do pensamento, do tributo que nos impõe a carne.

29. É vergonhoso que, no decorrer de uma vida na qual seu corpo não desfalece, neste desfaleça primeiramente sua alma.

30. Tome cuidado para que não venha a se tornar mais um César, que a sua arte não seja tingida por tal tintura, pois é algo que pode acontecer.

Mantenha-se, portanto, simples, bom, puro, respeitável, sem arrogância, amigo do justo, piedoso, benévolo, afável, firme no cumprimento do dever. Lute por conservar-se tal qual a filosofia quis lhe fazer. Respeite os deuses, ajude a salvar os homens. Breve é a vida. O único fruto da vida terrena é uma piedosa disposição e atos úteis à comunidade. Em tudo, proceda como discípulo de Antonino; sua constância em agir conforme a razão, sua equanimidade em tudo, a serenidade de seu rosto, a ausência nele de vanglória, seu afã no que se refere à compreensão das coisas. E lembre-se de como não haveria omitido absolutamente nada sem uma profunda análise prévia e sem uma compreensão com clareza; e como suportava sem replicar os que lhe censuravam injustamente; e como não tinha pressa por nada; e como não aceitava as calúnias; e como era escrupuloso indagador dos costumes e dos feitos; mas não era insolente, nem lhe atemorizava a agitação, nem era desconfiado, nem charlatão. E como tinha bastante com pouco, para sua casa, por exemplo, para seu leito, para sua vestimenta, para sua alimentação, para seu serviço; e como era diligente e amistoso; e capaz de permanecer na mesma tarefa até o entardecer, graças à sua dieta frugal, sem ter necessidade de evacuar os resíduos fora da hora de costume; e sua firmeza e uniformidade na amizade; e sua capacidade de suportar aos que se opunham sinceramente a suas opiniões e de alegrar-se, se alguém lhe mostrava algo melhor; e como era respeitoso com os deuses sem superstição, para que assim se surpreenda, como a ele, na última hora com boa consciência.

31. Retorne a você mesmo e se reanime, e uma vez que saiu de seu sonho e tenha compreendido que eram pesadelos que o perturbavam. Novamente desperto, olhe essas coisas como olhava aquelas em sonho.

32. Sou um composto de alma e corpo. Portanto, para o corpo tudo é indiferente, pois não é capaz de distinguir; mas ao espírito lhe são indiferentes quantas atividades não lhe são próprias, e, em troca, quantas atividades lhe são próprias, todas elas estão sob seu domínio. E, apesar disso, somente a atividade presente lhe preocupa, pois suas atividades futuras e passadas lhe são também, desde este momento, indiferentes.

33. Não é contrário à natureza nem o trabalho da mão nem tampouco o do pé, desde que o pé cumpra a tarefa própria do pé, e a mão, a da mão. Do mesmo modo, pois, tampouco é contrário à natureza o trabalho do homem, como homem, desde que cumpra a tarefa própria do homem. E, se não é contrário a sua natureza, tampouco lhe é nocivo.

34. Que classe de prazeres desfrutaram bandidos, lascivos, parricidas, tiranos!

35. Não vês como os artesãos se colocam de acordo, até certo ponto, com os profanos, mas não deixam de cumprir as regras de seu ofício e não aceitam renunciar a ele? Não é surpreendente que o arquiteto e o médico respeitem mais a razão de seu próprio ofício que o homem a sua própria, que compartilha com os deuses?

36. Ásia, Europa, cantos do mundo; o mar inteiro, uma gota de água; o Atos, um pequeno monte do mundo; todo o tempo presente, um instante da eternidade; tudo é pequeno, mutável, passageiro. Tudo procede de lá, arrancando daquele princípio norteador ou derivando dele. Assim, a boca do leão, o veneno e tudo o que faz mal, como os espinhos, como o lodo, são parte daquelas coisas veneráveis e belas. Não se imagine, pois, que essas coisas são alheias àquele a quem você venera; mas antes, reflita sobre a fonte de todas as coisas.

37. Quem viu o presente, tudo viu: a saber, quantas coisas surgiram desde a eternidade e quantas coisas permanecerão até o infinito. Pois tudo tem uma mesma origem e um mesmo aspecto.

38. Medite com frequência sobre o encadeamento de todas as coisas existentes no mundo e em sua mútua relação. Veja que, de certa forma, todas as coisas se entrelaçam umas com as outras e todas, nesse sentido, são amigas entre si; pois uma é a continuação da outra devido ao movimento ordenado, do hábito comum e da unidade da substância.

39. Adapte-se às coisas nas quais tem sorte; e aos homens com os quais convive. Ame-os, mas de verdade.

40. Um instrumento, uma ferramenta, um objeto qualquer, se realiza o trabalho para o qual foi construído, é bom; ainda que esteja fora dali o que os construiu. Mas tratando-se das coisas que se mantêm unidas por natureza, em seu interior reside e persiste o poder construtor. Por esse motivo é preciso ter um respeito especial por ele e considerar, caso se comporte e proceda de acordo com seu propósito, que todas as coisas ocorrem segundo a inteligência. Também no universo as coisas ocorrem conforme a inteligência.

41. Crendo que o bem e o mal residem em coisas alheias a sua vontade, uma vez que atravessar um infortúnio, ou não conseguir o que desejava conseguir, por esta crença você necessariamente culpará os deuses ou os homens que julga serem responsáveis pela sua infelicidade. Assim, cometemos muitas injustiças seguindo por esta via. No entanto, se consideramos boas ou más apenas as coisas que dependem somente de nós mesmos, da forma como nós as julgamos, então não teremos motivos para culpar os deuses ou nos revoltar contra os homens.

42. Todos aqui trabalham juntos visando uma única obra, uns com plena consciência, outros sem suspeitar. Dessa forma diz Heráclito, se não me engano, que até mesmo os sonolentos trabalham, sem saber para o que sucede no mundo: um contribui ao seu modo, aquele de outro e, até mesmo o que resmunga de tudo e tenta remar contra a maré do avanço, ainda que a sua revelia, contribui para tal avanço. Ora, considere que o mundo tem lugar para todos os tipos de homens! Resta saber em qual posição você se coloca. Pois aquele que governa todas as coisas de qualquer modo irá se servir de você como lhe convém, e lhe colocará entre os seus colaboradores. No entanto será melhor que não assuma, por vontade própria, a posição que o verso vazio e ridículo de que fala Crisipo[2] tem naquela peça.

43. Acaso o sol se mete a fazer o papel da chuva? Acaso Esculápio se propõe a fazer o trabalho de Ceres? O que dizer, então, de cada um dos astros? Mas não são eles, embora diferentes, colaboradores da mesma obra?

44. Acaso os deuses tomaram decisões ao meu respeito e sobre o que deve me acontecer, decidiram bem, pois é até difícil conceber um deus mal-intencionado. Que razão os levaria a me fazer mal? Que proveito tirariam disso, quer para si mesmos, quer para a comunidade, a sua máxima preocupação? Se não tomaram decisões em particular ao meu respeito, o fizeram acerca da comunidade, afinal de contas, e eu devo saudar e estimar o que me acontece como uma consequência. Se, no entanto, eles não deliberaram sobre nada – o que é impiedoso considerar; aliás, se fosse assim nós não iríamos orar, nem oferendar, nem jurar, nem praticar outros ritos, cada um dos quais praticamos na crença de estarem os deuses presentes em nosso convívio – se, pois, eles não deliberaram sobre nada do que nos concerne, então eu posso decidir sobre mim, examinar os meus próprios interesses. Ora, o interesse de cada um vai de acordo com a sua natureza: a minha é racional e social. Como um filho de Antonino, minha cidade e

2. Crisipo (280 a. C. - 207 a. C.), filósofo grego que sistematizou o pensamento estoico com mais de quinhentas obras escritas, cuja maior parte se perdeu. No entanto, muitos fragmentos passaram a ser conhecidos por meio de citações de autores gregos e latinos, entre os quais Sêneca, Plutarco e Cícero. (N. d. E.)

minha pátria é Roma; como homem, o mundo. Logo, só é um bem para mim o que for útil a essas cidades.

45. O que acontece a cada um importa ao conjunto. Isso deveria ser suficiente. Mas ademais, em geral, verá, se prestar atenção, que o que é útil a um homem, é também a outros homens. Aceite agora "a utilidade" na acepção mais comum, aplicada a coisas indiferentes.

46. Assim como os jogos do anfiteatro e de lugares semelhantes lhe causam repugnância, pelo fato de que sempre as mesmas coisas são vistas, e a uniformidade faz o espetáculo fastidioso, assim também ocorre ao considerar a vida em seu conjunto; porque todas as coisas, de cima para baixo, são as mesmas e procedem das mesmas. Até quando?

47. Medite sem cessar na morte de homens de todas as classes, de todo tipo de profissões e de toda sorte de raças. De maneira que pode descender nessa enumeração até Filístio, Febo e Origânio. Passe agora às demais classes de homens. É preciso, pois, que nos desloquemos para lá, para onde se encontra tão grande número de hábeis oradores, tantos filósofos e veneráveis: Heráclito, Pitágoras, Sócrates, tantos heróis com anterioridade, e, depois, tantos generais, tiranos. E, além desses, Eudóxio, Hiparco, Arquimedes, outras naturezas agudas, magnânimos, diligentes, trabalhadores, ridicularizadores da mesma vida humana, mortal e efêmera, como Menipo, e todos os de sua classe. Medite sobre todos esses que há tempo nos deixaram. O que há nisso, pois, de terrível para eles? E o que há de terrível para os que de nenhuma forma são nomeados? Uma só coisa vale a pena: passar a vida em companhia da verdade e da justiça, benévolo com os mentirosos e com os injustos.

48. Sempre que quiser se alegrar, pense nos méritos dos que vivem com você, por exemplo, a energia no trabalho de um, a discrição de outro, a liberalidade de um terceiro e qualquer outra qualidade de outro. Porque nada produz tanta satisfação como os exemplos das virtudes, ao manifestarem-se no caráter dos que vivem conosco e ao serem agrupadas na medida do possível. Por essa razão devem ser tidas sempre à mão.

49. Fica incomodado por pesar tantos quilos e não cem? Da mesma forma, também, porque deve viver um número determinado de anos e não mais. Porque assim como se contenta com a porção de corpo que lhe foi designada, assim também é com o tempo.

50. Tente persuadir os homens; mas aja, inclusive contra a sua vontade, sempre que a razão da justiça o imponha. Entretanto, se alguém se opuser fazendo uso de alguma violência, mude para a complacência e para o bom trato, sirva-se dessa dificuldade para outra virtude e tenha presente que com discrição se movia, e que não pretendia coisas impossíveis. Qual era, pois, sua pretensão? Alcançar tal impulso em certa maneira. E você consegue. Aquelas coisas às quais nos movemos chegam a concretizar-se.

51. O que a fama considera como bem próprio à atividade alheia; o que ama o prazer, seu próprio apreço; mas o homem inteligente, ao contrário, o bem são suas próprias ações.

52. Cabe a possibilidade, no que concerne a isso, de não haver conjectura alguma e de não turbar a alma; pois as coisas, por si mesmas, não têm uma natureza capaz de criar nossos juízos.

53. Acostume-se a não estar distraído ao que diz o outro, e inclusive, na medida de suas possibilidades, procure ter acesso à alma daquele que fala.

54. O que não beneficia a colmeia, tampouco beneficia a abelha.

55. Se os marinheiros insultassem o comandante do navio ou os enfermos o médico, o comandante e o médico dariam ouvidos a alguém? Se o fizessem, como poderiam garantir a segurança dos tripulantes ou a saúde dos pacientes?

56. Quantos, em companhia dos quais entrei no mundo, já partiram!

57. O mel parece amargo a quem tem icterícia. Os que foram mordidos por um cachorro raivoso são hidrófobos, e as crianças gostam da bola. Por que se aborrecer? Ou pensa que uma falsidade tem menos força que a bile no indivíduo com icterícia ou o veneno naquele mordido por um animal com raiva?

58. Ninguém o impedirá de viver segundo a razão de sua própria natureza; nada lhe ocorrerá contra a razão da natureza comum.

59. Quem são aqueles a quem quer agradar? E por quais ganhos, e graças a quais procedimentos? Quão rapidamente o tempo sepultará todas as coisas e quantas já sepultou!

É fundamental atentar para o que se diz, e sobre cada ação, deve-se refletir sobre seu efeito. Veja a qual meta a ação está relacionada e, quanto às palavras, observe seus significados.

Livro 7

1. O que é o vício? Algo que você viu tantas vezes. A todo acontecimento, tem presente a ideia de que é uma coisa que já viu muitas vezes.

Em suma, de alto a baixo, você encontrará os mesmos fatos que preenchem as histórias, quer as antigas, quer as recentes, de que andam cheias hoje as cidades e as casas. Nada há nada novo: tudo é corriqueiro, tudo é efêmero.

2. Nossas convicções não poderiam se extinguir se as ideias que lhes correspondem não forem extintas. Depende de você reavivar incessantemente as suas chamas. Eu posso, de um dado objeto, formar a ideia exata; se posso, por que me perturbar? O que há fora da minha mente absolutamente não existe para o meu intelecto. Pense nisso e crie ânimo: reviver depende da sua vontade. Veja as coisas novamente como as via, nisso consiste a renovação da vida.

3. Aplausos, encenação de dramas, rebanhos, manadas, lutas de gladiadores: ossos atirados a cães, migalhas de pão atiradas em viveiros de peixes, colônias de formigas carregando os seus fardos, correria de camundongos assustados, bonecos movidos por cordéis. Cumpre, pois, suportar tudo isso com benevolência, sem refugar, advertindo, todavia, que cada qual vale tanto quanto vale o alvo de seus esforços.

4. É fundamental atentar para o que se diz, e sobre cada ação, deve-se refletir sobre seu efeito. Veja a qual meta a ação está relacionada e, quanto às palavras, observe seus significados.

5. É suficiente a minha inteligência para isto, ou não? Se basta, sirvo-me dela no trabalho como um instrumento dado pela natureza universal; senão, ou passo a tarefa a quem possa melhor executá-la (a menos que não tenha esta alternativa), ou executo-a como me for possível, valendo-me da minha própria razão e de um ajudante que me auxilie a levar a cabo o que é oportuno e útil à sociedade. Tudo quanto eu fizer, quer por mim mesmo, quer com ajuda alheia, deve tender a um objetivo único: o que é útil e conveniente à minha comunidade.

6. Quantos homens celebrados em hinos já caíram no esquecimento! Quantos, que os celebravam, partiram há muito!

7. Não se acanhe se receber ajuda; você deve cumprir a missão determinada, como o soldado no assalto à muralha. Como procederia se, por conta de um ferimento na perna, não pudesse escalar a murada, exceto com a ajuda de outro soldado?

8. Que o futuro não lhe perturbe; você chegará lá, se for preciso, levando a mesma razão.

9. Todas as coisas estão entretecidas; seus laços são sagrados, e, a bem dizer, não há uma estranha a outra; estão coordenadas e, juntas, compõem a ordem do próprio mundo. O mundo é único, composto de todas as coisas; Há uma única divindade disseminada por todas as coisas; uma substância, uma lei, uma razão comum a todos os viventes inteligentes, e uma verdade, posto que os seres da mesma espécie e os viventes compartilham uma mesma razão.

10. Tudo que é material se esvaece rapidamente na substância universal; toda causa é rapidamente recolhida na razão do universo e a memória de cada um sepulta-se rapidamente na eternidade.

11. Para o ser racional o mesmo ato está de acordo com a natureza e com a razão.

12. Erga-se ou seja erguido.

13. Assim como os membros são unidos em um corpo, os seres racionais foram constituídos para uma ação conjunta e única. Esse pensamento será melhor captado se disser a si mesmo: "Sou um membro do sistema racional". Mas, se disser que é uma parte dele, significa que não ama de coração a humanidade, e que ainda não se alegra, evidentemente, no bem fazer, mas o pratica como simples obrigação, não como um benefício a si mesmo.

14. Que suceda o acidente ao que pode ser afetado por este acontecimento, pois as partes afetadas encontrarão a culpa. De minha parte, basta que não julgue o acidente como sendo mau, já não sofri dano, e está em meu poder não o julgar.

15. Façam o que fizerem, digam o que disserem, eu tenho de ser bom; é como se o ouro, a esmeralda ou a púrpura vivessem repetindo: "Façam o que fizerem, digam o que disserem, eu tenho de ser esmeralda e ter a minha cor própria".

16. Meu guia não se molesta a si mesmo; quero dizer, não cria para si temores a seu talante. Se alguém mais pode causar-lhe temores e aflições, que o faça; ele a si mesmo, por suas opiniões, não se lança em tais vicissitudes. Cuide o corpo por si de não sofrer nada, se puder; se sofrer, que o diga. A alma, quando tentam assustá-la, afligi-la, basta, em suma, que forme juízo a esse respeito e nada há de sofrer; ela não está obrigada a admiti-lo. O guia, no que dele depende, não tem precisões, salvo a criar para si alguma necessidade; por isso mesmo está livre de perturbações e embaraços, a menos que a si próprio perturbe e embarace.

17. Felicidade é um bom deus tutelar ou uma faculdade condutora. Que faz aqui, ó imaginação? Vá, pelos deuses lhe peço, como veio; não preciso de você. Veio por um velho hábito. Não me aborreço. Apenas vá embora.

18. As mudanças assustam? Mas pode alguma coisa ocorrer sem que haja mudança? Que há de mais caro e familiar à natureza universal? É possível tomar banho sem que a lenha seja transformada? Pode comer sem que sejam transformados os alimentos? Pode-se realizar alguma outra ação útil sem transformação? Não vê, então, que as mudanças em você mesmo são fatos semelhantes e semelhantemente necessários à natureza universal?

19. Pela substância do conjunto universal, como através de uma torrente, cooperam todos os corpos naturais e colaboradores do conjunto universal, como nossos membros entre si. Quantos Crisipos, quantos Sócrates, quantos Epitetos absorveu já o tempo! Idêntico pensamento tenha você em relação a todo tipo de homem e a todas as coisas.

20. Apenas uma coisa me inquieta: o temor de que faça algo que minha constituição de homem não quer, ou da maneira que não quer, ou o que agora não quer.

21. Próximo está seu esquecimento de tudo, próximo também o esquecimento de tudo em relação a você.

22. Próprio do homem é amar inclusive os que tropeçam. E isso se consegue quando pensa que são seus familiares, e que pecam por ignorância e contra sua vontade e que, dentro de pouco tempo, ambos estarão mortos e que, ante tudo, não se prejudicou, posto que não tornou sua alma reinante inferior ao que era anteriormente.

23. A natureza do conjunto universal, valendo-se da substância do conjunto universal, como de uma cera, modelou agora um potro; depois, o fundiu e utilizou sua matéria para formar um arbusto, depois, um homenzinho, e mais tarde outra coisa. E cada um desses seres subsistiu por pouquíssimo tempo. Mas não é nenhum mal um cofre ser desmontado nem tampouco ser montado.

24. O semblante rancoroso é demasiado contrário à natureza. Quando se afeta reiteradamente, sua beleza morre e finalmente se extingue, de maneira que se torna impossível reavivá-la. Tente, ao menos, ser consciente disso, na convicção de que é contrário à razão. Porque se desaparece a compreensão do agir mal, que motivo para seguir vivendo nos sobra?

25. A natureza que rege o universo mudará num instante tudo quanto você vê a sua volta: de sua substância criará outros seres e, depois, da substância destes, ainda outros, para que o mundo seja sempre novo.

26. Cada vez que alguém cometer uma falta contra você, reflita sobre que conceito do mal ou do bem tinha ao cometer essa falta. Porque, uma vez que tenha examinado isso, terá compaixão dele e nem se surpreenderá ou se irritará com ele. Já que você também compreenderá o mesmo conceito do bem que ele, ou outro similar. Portanto, é melhor perdoar. Ainda se não cheguem a ter o mesmo conceito sobre o bem e o mal, será mais facilmente benévolo com seu engano.

27. Não imagine as coisas ausentes como já presentes; antes, selecione dentre as presentes as mais favoráveis. Diante disso, lembre-se como as buscaria, se não estivessem presentes. Ao mesmo tempo, contudo, toma cautela para não se acostumar, pela satisfação que experimenta, a superestimar seu valor, de maneira que sua falta eventual possa conturbá-lo.

28. Recolha-se para dentro de si mesmo. O eu governante se basta quando pratica a justiça e, por isso mesmo, desfruta de calma.

29. Apague a imaginação. Pare com a encenação de fantoches. Circunscreva-se ao momento presente. Compreenda o que lhe acontece ou a outro. Divida e separe o objeto dado em seu aspecto causal e material. Pense em sua hora posterior. A falta cometida por aquele, deixe-a ali onde se originou.

30. Compare o pensamento com as palavras. Submerge seu pensamento nos acontecimentos e nas causas que o produziram.

31. Faça resplandecer em você a simplicidade, o pudor e a indiferença no relativo ao que é intermediário entre a virtude e o vício. Ame a humanidade. Siga a Deus. Demócrito diz: "tudo é convencional e, em realidade, só existem os elementos". E basta lembrar que as exceções são muito poucas.

32. Sobre a morte: ou dispersão, se existem átomos; ou extinção ou mudança, se existe unidade.

33. Sobre a dor: o que é insuportável mata, o que é duradouro é tolerável. E a inteligência, retirando-se, conserva sua calma, com o que não torna pior a faculdade condutora. Quanto às partes danificadas pela dor, que o contestem se assim for possível.

34. Sobre a fama: examine quais são seus pensamentos, quais coisas evitam e quais perseguem. E que, assim como as dunas ao amontoarem-se umas sobre as outras, ocultam as primeiras, assim também na vida os acontecimentos anteriores são rapidamente encobertos pelos posteriores.

35. Você supõe ser possível que o homem de entendimento elevado — e que enxerga todo o tempo e toda a essência — considere a vida humana algo grande? "Impossível", disse Platão. Tal homem, então, considerará terrível a morte? "Certamente que não".

36. De Antístenes: "É próprio dos reis fazerem o bem e serem criticados".

37. É vergonhoso que o semblante aceite acomodar-se e alienar-se como ordena a inteligência, e que, em troca, ela seja incapaz de acomodar-se e seguir sua linha.

38. De Eurípedes: "Não devemos nos irritar com os fatos porque eles não se importam com a nossa irritação".

39. De um poeta desconhecido: "Oxalá pudesse dar motivos de regozijo aos deuses imortais e a nós!"

40. De Eurípedes: "Ceifar a vida, tal como uma espiga madura, e que um exista e o outro não".

41. De um poeta desconhecido: "Se os deuses me esqueceram e esqueceram meus dois filhos, também isso tem sua razão".

42. De Aristófanes: "O bem e a justiça estão comigo".

43. Não se associar a suas lamentações, nem a seus estremecimentos.

44. De Platão: "Mas eu lhe responderia com esta justa razão: está equivocado, amigo, se pensa que um homem deve calcular o risco de viver ou morrer, mesmo sendo insignificante a sua valia, em vez de apenas examinar se são justas ou não suas ações e próprias de um homem bom ou mau".

45. "Assim é, atenienses, em verdade. Onde quer que um esteja por considerar que é o melhor no posto, que seja designado pelo general, ali deve, no meu entender, permanecer e correr risco, sem ter em conta em absoluto nem a morte nem nenhuma outra coisa com preferência à infâmia".

46. Porque não deve o homem que se valorize preocupar-se com a duração da vida, tampouco deve ter excessivo apego a ela, mas confiar à divindade esses cuidados e dar crédito às mulheres quando afirmam que ninguém poderia evitar o destino. A obrigação que lhe incumbe é examinar de que modo, durante o tempo que viverá, poderá viver melhor.

47. Observe o curso dos astros, como se evoluísse com eles, e considere sem cessar as transformações mútuas dos elementos. Porque esses pensamentos purificam a vida das sujeiras da vida terrena.

48. Belo o texto de Platão: "preciso é que quem faz discursos sobre os homens examine também o que acontece na Terra, como do alto de um monte: manadas de tribunais, regiões desertas, populações bárbaras diversas, festas, trovões, reuniões públicas, toda a mistura e a conjunção harmoniosa procedente dos contrários".

49. Com a observação dos acontecimentos passados e de tantas transformações que se produzem agora, também o futuro é possível prever. Porque inteiramente igual será seu aspecto e não será possível sair do ritmo dos acontecimentos atuais. Em consequência, ter investigado a vida humana durante quarenta anos ou durante dez mil é a mesma coisa. Pois, o que mais poderia ver?

50. "O que nasceu da terra à terra retorna; o que germinou de uma semente etérea volta novamente à abóbada celeste". Ou também isso: dissolução dos entrelaçamentos nos átomos e dispersão semelhante dos elementos impassíveis.

51. "Com manjares, bebidas e feitiços, tratando de desviar o curso, para não morrer". "É forçoso suportar o sopro do vento impulsionado pelos deuses entre sofrimentos sem lamentos".

52. É melhor lutador; mas não mais generoso com os cidadãos, nem mais reservado, nem mais disciplinado nos acontecimentos, nem mais benévolo com os menosprezados dos vizinhos.

53. Quando pode cumprir-se uma tarefa de acordo com a razão comum aos deuses e aos homens, nada há que temer ali. Quando é possível obter um benefício graças a uma atividade bem embasada e que progrida de acordo com sua constituição, nenhum prejuízo deve suspeitar-se ali.

54. Em toda parte e continuamente, de você depende estar piedosamente satisfeito com a presente conjectura, comportar-se com justiça com os homens presentes e colocar toda sua arte ao serviço da impressão presente, a fim de que nada se infiltre em você de maneira imperceptível.

55. Não distraia sua atenção para observar a faculdade condutora alheia, antes, dirija seu olhar ao ponto aonde diretamente o conduz a natureza do universo por meio dos acontecimentos que lhe sucedem, e a sua própria pelas obrigações que lhe exige. Cada um deve fazer o que corresponde a sua constituição. Os demais seres foram constituídos para o benefício dos seres racionais, posto que, tratando-se dos irracionais, os inferiores servem aos superiores. Em consequência, o que prevalece na constituição humana é a sociabilidade. Em segundo lugar, a resistência às paixões corporais, pois é próprio do movimento racional e intelectual demarcar limites e não ser derrotado nunca nem pelo sensitivo nem pelo instintivo. Pois ambos são de natureza animal, enquanto que o movimento intelectual quer prevalecer e não ser subjugado por aqueles. Em terceiro lugar, na constituição racional não ocorre a precipitação nem a possibilidade de engano. Assim, que o guia interior, que possui essas virtudes, cumpra sua tarefa com retidão, e possua o que lhe pertence.

56. Como homem que já morreu e que não viveu até hoje, deve passar o resto de sua vida de acordo com a natureza.

57. Amar unicamente o que lhe acontece e o que é traçado pelo destino. Pois, o que pode adaptar-se melhor a você?

58. Diante dos acontecimentos, conserve os olhos naqueles que já os vivenciaram. Lembre-se de como se afligiram, se estranharam e censuraram. E agora, onde estão eles? Em nenhuma parte. Quer proceder de igual modo? Não quer deixar essas atitudes estranhas aos que as provocam e as sofrem, e aplicar-se inteiramente a pensar como servir-se dos acontecimentos? Há como tirar bom proveito dos acontecimentos e eles se revelarão matéria útil para você. Preste atenção e seja seu único desejo ser bom em tudo o que faça. E tenha presentes estas máximas: o que importa são os atos, não os resultados.

59. Escave seu interior. Dentro se encontra a fonte do bem, e é uma fonte capaz de brotar continuamente se não deixar de escavar.

60. É preciso que o corpo fique solidamente fixo e não se distorça, nem no movimento nem no repouso. Porque do mesmo modo que a inteligência se manifesta em certa maneira no rosto, conservando-se sempre harmonioso e agradável à vista, assim também deve exigir-se no corpo inteiro. Mas todas essas precauções devem ser observadas sem afetação.

61. A arte de viver assemelha-se mais à luta que à dança no que se refere a estar firmemente disposto a fazer frente aos acidentes, inclusive imprevistos.

62. Reflita bem quem são as pessoas cujo testemunho deseja e quais os seus guias; assim não se queixará dos que erram sem querer, nem precisará de seu testemunho quando olhar para as fontes de suas opiniões e impulsos.

63. É sem querer, diz ele, que toda alma se priva da verdade; igualmente, portanto, da justiça, da temperança, da benevolência e de toda virtude. É sumamente necessário que se lembre disso continuamente; será assim mais brando para com todos.

64. A cada sofrimento, lembre-se de que não é desonroso nem causa dano à inteligência, pois não se torna menos racional nem social. Na maioria dos sofrimentos, recorra à máxima de Epicuro: "a dor não é insuportável nem eterna, se se lembrar dos seus limites e não a ampliar com a imaginação". Lembre-se igualmente das muitas coisas que suporta e que, embora as ignore, são sofrimentos, como a sonolência, o calor ardente e a falta de apetite. Por isso, quando passar por um desses dissabores, diga a si mesmo que está cedendo a uma dor.

65. Tome cuidado para não sentir para com os misantropos o mesmo que os misantropos sentem para com a humanidade.

66. Como saber se Telauges não tinha disposições melhores que as de Sócrates? Não basta considerar que Sócrates tenha tido uma morte mais gloriosa, discutido com os sofistas com maior sutileza, suportado melhor a vigília noturna sob a geada, demonstrando mais nobreza em atender à ordem de ir buscar o Salamínio, que caminhava pelas ruas empertigado — sobre o que valeria bem a pena deter a atenção, se é que é verdade. O que cumpre investigar é que disposições de espírito tinha Sócrates, se podia contentar-se com ser justo para com os homens e piedoso para com os deuses, sem se agastar com os vícios daqueles, nem se escravizar à ignorância de nenhum, nem receber com estranheza qualquer parcela de seu quinhão no conjunto, nem sofrê-la como intolerável, nem solidarizar sua inteligência com as paixões da carne.

67. A natureza não fundiu seus atributos à composição do corpo a ponto de não permitir a você estabelecer seus próprios limites e possuir o que é seu. É sumamente possível a um homem tornar-se um ser divino sem ser reconhecido como tal por ninguém. Lembre-se sempre de que a vida feliz depende de bem pouco; não renuncie a ser livre, modesto, sociável e submisso à divindade.

68. Está em seu poder passar a sua vida a salvo de coações e violências, na mais completa tranquilidade mental, ainda que todos afirmem o que quiserem da sua pessoa, ou que as feras dilacerem os pobres membros desse corpo material que carrega consigo. De fato, o que impede que, em meio a tudo isso, a sua mente se conserve calma, mantendo o discernimento correto do que a circunda e pronta a tirar proveito do que se passa a sua volta? Assim sendo, que a sua faculdade de julgar diga ao objeto: "Você, em sua essência, é isto, embora a opinião o apresente como algo diverso". E que a sua faculdade de execução diga ao objeto: "Eu estava a sua procura, pois tudo o que me chega é material para a prática da virtude racional e política e, numa palavra, para o exercício da arte, seja dos homens ou dos deuses". Pois assim qualquer coisa que surja em suas mãos será útil aos deuses ou aos homens, não sendo nada de surpreendente nem de difícil emprego, mas sim familiar e fácil de ser manejado.

69. A perfeição moral consiste nisto: em passar cada dia como se fosse o último, sem convulsões, sem entorpecimentos, sem hipocrisias.

70. Os deuses, que são imortais, não se irritam pelo fato de que durante tão longo período de tempo devam suportar de um modo ou outro, repetidamente, os malvados, que são de tais características e tão numerosos. Mas ainda, preocupam-se com eles de muitas maneiras diferentes. E você, destinado a perecer tão cedo, está cansado de aturar os seres inferiores, mesmo sendo um deles?

71. É ridículo não tentar evitar sua própria maldade, o que é possível, e, em troca, tentar evitar a dos demais, o que é impossível.

72. O que a faculdade racional e sociável encontra desprovido de inteligência e sociabilidade, com muita razão o julga inferior a si mesma.

73. Quando tiver feito um favor e outro o receber, que terceira coisa ainda continua buscando, como os ignorantes?

74. Ninguém se cansa de receber favores, e a ação de favorecer está de acordo com a natureza. Não se canse, pois, de receber favores ao mesmo tempo em que os concede aos outros.

75. A natureza universal empreendeu a criação do mundo. Agora, porém, ou tudo o que acontece se produz por consequência, ou é irracional, inclusive, o mais sobressalente objetivo ao qual o universo dirige seu impulso próprio. Caso se lembre disso periodicamente, ficará mais tranquilo frente a todos os acontecimentos.

Curta é a vida do que elogia
e do que é elogiado, do que
se lembra e do que
é lembrado.

Livro 8

1. Um dos fatos que contribuem para que não se iluda com a glória é o de já não depender de você ter vivido toda a existência ou, pelo menos, desde a juventude, como filósofo; ao contrário; aos olhos de muitos outros e aos seus próprios, é evidente que anda longe da Filosofia.

Já não lhe é fácil granjear a fama de filósofo; até as bases se opõem. Se enxerga deveras onde reside a questão, desinteresse-se da fama e contente-se em viver como quer a natureza o resto de sua vida, dure o que durar. Procure entender o que a natureza quer e não se distraia com nenhuma outra coisa. Sabe por experiência, após muitos erros, que não encontrou a felicidade nem nos silogismos, nem na riqueza, nem na glória, nem nos deleites, em nada. Onde, pois, está? Em realizar o que a natureza do homem reclama. Como, então, realizá-lo? Possuindo os princípios que regem os impulsos e as ações. Que princípios? Os do bem e do mal, quais sejam: nada é bom para o homem, se não o torna justo, temperante, viril, livre, e nada é mau, se não lhe infunde os vícios opostos às mencionadas virtudes.

2. Em cada ação, pergunte a você mesmo: como é essa ação em relação a mim? Não me arrependerei depois de fazê-la? Dentro de pouco estarei morto e tudo terá desaparecido. O que mais buscarei, se minha presente ação é própria de um ser inteligente, sociável e sujeito à mesma lei de Deus?

3. Alexandre, César e Pompeu, o que foram em comparação a Diógenes, Heráclito e Sócrates? Estes viram coisas, suas causas, suas matérias, e seus princípios e fundamentos eram autossuficientes; mas aqueles, quantas coisas ignoravam, de quantas coisas eram escravos!

4. Eles prosseguirão fazendo as mesmas coisas, ainda que você se arrebente.

5. Em primeiro lugar, não se confunda. Tudo acontece de acordo com a natureza do conjunto universal, e dentro de pouco tempo não será ninguém em nenhuma parte, do mesmo modo que Adriano e Augusto não são ninguém. Depois, com os olhos fixos em sua tarefa, indague-a bem e, tendo presente que seu dever é ser homem de bem, e o que exige a natureza do homem, cumpra-o sem se desviar e do modo que lhe pareça mais justo: somente com benevolência, modéstia e sem hipocrisia.

6. A missão da natureza do conjunto universal consiste em transportar o que está aqui e ali, em transformá-lo, em levantá-lo daqui e levá-lo para lá. Tudo é mutação, de modo que não se pode temer nada insólito; tudo é igual, mas também são equivalentes aos desígnios.

7. Toda natureza está satisfeita consigo mesma quando segue o bom caminho. E segue o bom caminho a natureza racional quando em suas imaginações não dá seu consentimento nem ao falso nem ao incerto e, em troca, vincula seus instintos somente a ações úteis à comunidade, quando se dedica a desejar e detestar aquelas coisas que dependem exclusivamente de nós, e abraça tudo o que lhe designa a natureza comum. Pois é uma parte dela, da mesma forma que a natureza da folha é parte da natureza da planta, com exceção de que, nesse caso, a natureza da folha é parte de uma natureza insensível, desprovida de razão e capaz de ser interrompida, enquanto que a natureza do homem é parte de uma natureza livre de obstáculos, inteligente e justa, se é que naturalmente distribui a todos com equidade e segundo o mérito, sua parte de tempo, substância, causa, energia, acidente. Adverte, entretanto, que não encontrará equivalência em tudo, se colocar em relação uma coisa isolada com outra isolada, mas sim a encontrará, se comparar globalmente a totalidade de uma coisa com o conjunto de outra.

8. Não consegue mais ler. Mas pode conter sua arrogância. Pode estar acima do prazer e da dor. Pode menosprezar a vanglória. Pode não se irritar com insensatos e desgraçados. Mais: pode se preocupar com eles.

9. Que ninguém o ouça censurar a vida na corte, nem sequer você mesmo.

10. O arrependimento é certa censura pessoal por ter deixado de fazer algo útil. E o bem deve ser algo útil e deve preocupar-se com ele o homem íntegro. Pois nenhum homem íntegro se arrependeria por ter desdenhado um prazer; por consequência, o prazer nem é útil, nem é bom.

11. O que é isso em si mesmo segundo sua peculiar constituição? Qual é sua substância e matéria? E qual é sua causa? E que faz no mundo? E quanto tempo leva subsistindo?

12. Sempre que despertar de seu sonho de forma errada, lembre-se de que está de acordo com sua constituição e com sua natureza corresponder com ações úteis à comunidade, e que dormir é também comum aos seres irracionais. Além disso, o que está de acordo com a natureza de cada um lhe resulta mais familiar, mais natural, e certamente também mais agradável.

13. Continuamente e, se for possível, em toda imaginação, explique-a partindo dos princípios da natureza, das paixões, da dialética.

14. Com quem se encontrar, imediatamente faça essas reflexões: que princípios tem a respeito do bem e do mal? Porque se sobre o prazer e a dor e as coisas que produzem ambos e sobre a fama, a infâmia, a morte, a vida, tem tais princípios, não me parecerá em absoluto surpreendente ou estranho que aja assim; e me lembrarei de que se vê forçado a agir desse modo.

15. Considere que, do mesmo modo que é absurdo achar estranho que a figueira produza figos, também o é surpreender-se de que o mundo produza determinados frutos dos quais é portador. E igualmente seria vergonhoso para um médico e para um timoneiro se surpreender que haja febre ou de que tenha soprado um vento contrário.

16. Considere que trocar de critério e obedecer a quem o corrige é igualmente uma ação livre, pois sua atividade termina de acordo com seu instinto e juízo e, particularmente, além disso, de acordo com sua própria inteligência.

17. Se depende de você, por que não o faz? Mas se depende de outro, a quem censura? Aos átomos ou aos deuses? Em ambos os casos é loucura. A ninguém deve repreender. Porque, se podes, corrija, se não podes, corrija ao menos sua ação. E se tampouco isso é possível, de que adianta se irritar? Porque nada deve ser feito por acaso.

18. Aquilo que morre não cai fora do mundo. Se aqui fica, aqui também se transforma e se decompõe nos elementos próprios, que são os do mundo e os seus. Os elementos mesmos se transformam e não resmungam.

19. Cada coisa nasceu com uma missão, assim o cavalo, a videira. Por que se assombra? Também o Sol dirá: "nasci para uma função, assim como os demais deuses". E você, para quê? Para o prazer? Analise se é tolerável a ideia.

20. A natureza governa tanto o nascer e o florescer quanto o desvanecimento e o fim. É como quem arremessa uma bola: que bem há para a bola em subir ao céu, e que mal há em cair ao solo? E que bem há para a bolha d'água em se formar, e que mal há em estourar? O mesmo se poderia dizer da chama de uma vela.

21. Gire seu corpo e contemple como é, e como chega a ser depois de envelhecer, adoecer e expirar. Curta é a vida do que elogia e do que é elogiado, do que se lembra e do que é lembrado. Além disso, acontece em um canto dessa região e tampouco aqui se colocam de acordo todos, e nem sequer alguém se coloca de acordo consigo mesmo; e a Terra inteira é um ponto.

22. Preste atenção ao que tem nas mãos, seja atividade, princípio ou significado. Justamente tem este sofrimento, pois prefere ser bom amanhã a ser bom hoje.

23. Realizo alguma coisa? Realizo considerando o benefício aos homens. Acontece algo a mim? Aceito o que aconteceu, oferecendo-o aos deuses e à fonte de tudo, da qual emanam todos os acontecimentos.

24. Como se apresenta o banho: óleo, suor, sujeira, água viscosa, tudo o que provoca repugnância, assim também lhe apresenta toda parte da vida e todo objeto que nos é oferecido.

25. Lucila chorou a morte de Verus; depois foi a vez de Lucila Secunda sepultar Máximo; depois chegou a vez de Secunda; Epitincano sepultou Diótimo; depois foi a vez de Epitincano; Antonino sepultou Faustina; depois, como era de se esperar, enfim chegou a vez de Antonino. Assim tudo se sucede: Céler viu Adriano morrer; depois foi a vez de Céler. Aqueles que foram famosos por sua sutileza, ou por suas previsões, ou por sua ufania, onde estão? Por exemplo, aqueles de espírito sagaz, como Carax, Demétrio o Platônico, Eudemão e outros como eles, onde se encontram hoje? Tudo efêmero, há muito já se foram do mundo: vários nem por pouco tempo lembrados, outros convertidos em lenda e outros lendas já extintas. Assim sendo, lembre-se disto: necessariamente se dispersará o composto que o forma, o seu sopro vital se extinguirá, transmigrará e se estabelecerá noutro. Tudo é efêmero, o tempo morreu. Alguns não perduraram na lembrança sequer um instante; outros passaram a lenda, e outros inclusive desapareceram das lendas. Considere, pois, isto: será preciso que sua composição se dissemine, que seu hálito vital se extinga ou que mude de lugar e se estabeleça em outra parte.

26. A felicidade do homem consiste em fazer o que é próprio do homem. E é próprio do homem o trato benevolente com seus semelhantes, o menosprezo dos movimentos dos sentidos, o discernir as ideias que inspiram crédito, a contemplação da natureza do conjunto universal e das coisas que se produzem de acordo com ela.

27. Três são as relações: uma com a causa que nos rodeia, outra com a causa divina, de onde tudo nos acontece, e a terceira com os que vivem conosco.

28. A dor, ou é um mal para o corpo, e em consequência que a manifeste, ou para a alma. Mas diante dela lhe é possível conservar sua própria serenidade e calma, e não opinar que a dor seja um mal. Porque todo juízo, instinto, desejo e aversão residem em nosso interior, onde nenhum mal acessa.

29. Apague as imaginações dizendo a si mesmo continuamente: "agora de mim depende que não se instale nessa alma nenhuma perversidade, nem desejo, em resumo, nenhuma perturbação; entretanto, contemplando todas as coisas tal como são, sirvo-me de cada uma delas de acordo com seu mérito". Considere essa possibilidade de acordo com a sua natureza.

30. Fale, seja no senado, seja diante de qualquer um, com elegância e clareza. Faça com que a sua linguagem desvele um modo de pensar sincero e honesto.

31. A corte de Augusto, sua mulher, filha, descendentes, ascendentes, sua irmã, Agripa, seus familiares, Areos, Mecenas, seus médicos, seus encarregados pelos sacrifícios: todos mortos. Passa depois às outras não a morte de um único homem, mas a morte de uma linhagem inteira, por exemplo a dos Pompeus. Leve em conta igualmente aquela inscrição dos túmulos: "Último de sua linhagem". Quanto se afligiram os seus antepassados para deixar após si um herdeiro e, afinal, era fatal que algum fosse o último! Novamente, aqui, a morte de toda uma linhagem.

32. É preciso regrar a vida de acordo com cada uma das ações e, se cada uma consegue seu fim, dentro de suas possibilidades, deve dar-se por satisfeito. E que baste a seu fim, ninguém pode impedi-lo. "Mas alguma ação externa se oporá". Nada, ao menos no referente a agir com justiça, com moderação e reflexivamente. Mas talvez alguma outra atividade encontrará obstáculos. Entretanto, graças à acolhida favorável do mesmo obstáculo e em troca inteligente no que lhe é oferecido, ao ponto se substitui outra ação que harmoniza com a composição da qual falava.

33. Receber sem orgulho, desprender-se sem apego.

34. Você acaso viu alguma vez uma mão amputada, ou um pé, ou uma cabeça decepada, caída nalgum canto longe do resto do corpo? Ora, aquele que não aceita sua sorte, ou se revolta contra a vida, faz o mesmo consigo, quando se isola do convívio social e só faz resmungar: amputa a si mesmo da unidade social, embora tenha nascido como parte dela. Mas o admirável nisto tudo é que você ainda terá a chance de se reintegrar. Zeus não concedeu a nenhuma outra parte o privilégio de voltar a juntar-se depois de haver sido amputada. Assim sendo, considere a bondade com que ele distinguiu o homem, deixando ao seu arbítrio não só a opção de não se separar do conjunto universal e, uma vez separado, a de reunir-se, combinar-se em um todo e recobrar a posição de membro.

35. Assim como a natureza dos seres racionais distribuiu a cada um da sua forma as demais faculdades, assim também nós recebemos dela esta faculdade. Pois da mesma maneira que aquela converte tudo o que se opõe e resiste, o situa na ordem de seu destino e o faz parte de si mesma, assim também o ser racional pode fazer todo obstáculo material de si mesmo e servir-se dele, fosse o que fosse o objeto ao que estivesse tendencioso.

36. Não se perturbe com a ideia da totalidade da sua vida. Não abarque em seu pensamento os tipos de fadigas e quantas podem sobrevir; pelo contrário, em cada uma das fadigas presentes, pergunte-se: o que é o intolerável e o insuportável dessa ação? Sentirá vergonha de confessar. Lembre-se que nem o futuro nem o passado são incômodos, mas sempre o presente. E este se torna um transtorno cada vez menor, desde que o isole em seus próprios limites. Assim, aproveite o embalo e repreenda a sua própria mente por ter se mostrado incapaz de resistir a tal insignificância.

37. Estão agora junto ao túmulo de Verus, Pantea e Pérgamo? E junto à tumba de Adriano, Cabrias ou Diótimo? Ridículo. Se estivessem sentados, saberiam os mortos? Se percebessem, iriam comprazer-se? Se isso acontecesse, seriam imortais? Não estava assim decretado que primeiro chegariam a ser velhos e velhas, para depois morrerem? Então, que deveriam fazer posteriormente aqueles mortos? Tudo isso fede, como um odre cheio de lama e sangue.

38. "Se és capaz de olhar com perspicácia, olhe e julgue, afirma Epiteto, "com a máxima habilidade".

39. Na constituição de um ser racional não vejo virtude rebelde à justiça, mas sim vejo a temperança em oposição ao prazer.

40. Se suprimir a sua opinião acerca do que aparentemente lhe aflige, você mesmo se colocará em plena segurança. "A quem você se refere?" "A sua razão." "Mas eu não sou a razão." "Bem, então que a sua razão não aflija a si mesma. Se alguma outra coisa está mal em você, que ela forme opinião sobre si mesma."

41. Um empecilho à sensação é um mal para uma natureza animal; um empecilho ao instinto é igualmente um mal para uma natureza animal. Existe igualmente alguma outra coisa que é um mal para a constituição vegetal. Da mesma forma, portanto, um empecilho da inteligência será um mal para uma natureza inteligente. Transpõe isso tudo para o seu caso. Sente dor ou prazer? Que a sensibilidade se encarregue. Um obstáculo se opôs a um impulso? Se se entregar sem reserva ao impulso, então é um mal enquanto é ser racional; se, porém, eximir a inteligência, já não sofrerá dano nem impedimento. Ao que é próprio da inteligência, nenhum outro ente irá afetar. Não a toca o fogo, nem o ferro, nem o tirano, nem a calúnia. O que é próprio da inteligência somente ela costuma criar obstáculo. Porque nem o fogo, nem o ferro, nem a infâmia, nem nenhuma outra coisa a alcançam. Quando consegue converter-se em "esfera arredondada", permanece.

42. Não mereço causar dor ou aflição à minha pessoa, pois de maneira alguma o fiz voluntariamente aos outros.

43. Um se alegra de uma maneira, outro de outra. Em relação a mim, se tenho saudável meu guia interior, me alegro por não refutar nenhum homem nem nada do que aos homens acontece; antes, me alegro por olhar todas as coisas com olhos benévolos e aceitando e usando cada coisa de acordo com seu mérito.

44. Procure acolher com agrado o tempo presente. Os que mais perseguem a fama póstuma não calculam que eles serão iguais a estes aos que importunam. Também eles serão mortais. E o que significa para você em resumo, que aqueles repitam seu nome com tais vozes ou que tenham de você tal opinião?

45. Toma-me e atira-me onde quiser; ali manterei jovial o meu deus, isto é, satisfeito de encontrar-se e agir da maneira que convém a sua própria constituição. Isto merece, acaso, que, por sua causa, minha alma sofra e se rebaixe, humilhada, prostrada, submersa, amedrontada? E o que achará de tanto valor?

46. A homem nenhum pode suceder nada que não seja contingência humana; nem ao boi, que não seja de boi; nem à vinha, que não seja de vinha; nem à pedra, que não seja próprio de pedra. Se, pois, a cada qual acontece o que lhe é costumeiro e natural, por que se aborrecer? A natureza comum nada trouxe de insuportável para você.

47. Se uma causa exterior o magoa, não é ela que o molesta, mas o juízo que dela faz. Está em suas mãos apagá-lo prontamente. Se alguma das suas próprias disposições o aflige, quem impede que retifique o seu critério? Igualmente, se algumas de suas disposições o aflige, por que não o realiza em vez de se afligir? É que um obstáculo mais forte se opõe. Então, não se aflija, pois não é sua a culpa. Mas a vida não é digna se não a realizar. Então, deixe a vida de bom grado, tal como morre também quem realiza, mas sem rancor aos obstáculos.

48. Lembre-se de que o guia se torna inexpugnável quando, recolhido em si, contenta-se de não fazer o que não quer, mesmo quando se põe em guarda sem raciocínios. Que será quando, cercado de precauções e raciocínios, formar juízo de alguma coisa? Por isso a inteligência isenta de paixões é uma fortaleza; o homem não tem abrigo mais fortificado onde se refugie e se livre, para o futuro, de cair prisioneiro. Quem não o viu é um ignorante; quem viu e não se refugiou, um infeliz.

49. Não acrescente nada a você mesmo que não lhe seja comunicado pela sua percepção imediata. Por ela você eventualmente sabe que fulano falou mal de você: mas ela lhe comunicou apenas isso, não lhe ordenou que se afligisse ou se irritasse. Outro exemplo: percebo que meu filho está doente. Mas é apenas isso, não há indicação de que a sua vida esteja correndo perigo. Assim sendo, atenha-se sempre a sua percepção imediata, sem lhe acrescentar nada por sua conta ou fantasia, e nada lhe acontecerá. A sua percepção, acrescente somente as reflexões vindas da sua experiência como homem e amante da filosofia, que conhece as relações e os enlaces de tudo o que transcorre neste mundo.

50. Amargo é o pepino. Jogue-o fora. Existem espinhos no caminho. Desvie-se. Basta isso? Não acrescente: "por que acontece isso no mundo?". Porque será ridicularizado pelo homem que estuda a natureza, como também o será pelo carpinteiro e o sapateiro se lhe condenasse pelo fato de que em suas oficinas se veem cavacos e retalhos dos materiais que utilizam. E, em verdade, aqueles ao menos têm onde colocá-los, mas a natureza universal nada tem que lhe seja exterior; mas o admirável desta arte consiste em que, confinada em si mesmo, transformar em seu próprio seio tudo aquilo que em seu interior parece corrompido e envelhecido, servindo-se e produzindo coisas novas. O resultado é que ela não tem necessidade de substâncias estranhas, nem precisa de um lugar onde colocar esses podres desperdícios. Em consequência, se conforma com seu próprio lugar, com a matéria que lhe pertence e com sua peculiar arte.

51. Não seja vagaroso em seus atos, confuso em suas conversas nem vago em suas ideias. Não deixe que sua alma esteja demasiadamente voltada nem para si mesma nem para o que há lá fora, nem que a sua vida seja tão preenchida de trabalho que não lhe reste nenhum momento de lazer. Ora, é verdade que os homens são violentos, matam e amaldiçoam, mas nada disso pode realmente impedir que a sua mente se conserve pura, sensata, prudente e justa. É como se alguém, parado junto de uma fonte clara e doce, a insultasse: nem por isso ela deixaria de brotar a sua água cristalina. Que lhe atirem lama ou estrume, não importa, ela logo dissolverá toda sujeira, sem jamais deixar de ser pura. Como, então, você poderá ter, dentro de si, uma fonte perene, e não um poço? Fomentando dia após dia a sua independência deste mundo, com mansidão, simplicidade e modéstia.

52. O que não sabe o que é o mundo, não sabe onde está. E o que não sabe para que nasceu, tampouco sabe quem é ele nem o que é o mundo. E o que esqueceu uma só dessas coisas, tampouco poderia dizer para que nasceu. O que, pois, parece-lhe ser o elogio dos que aplaudem, os quais nem conhecem onde estão, nem quem são?

53. Quer ser enaltecido por um homem que se maldiz três vezes por hora? Quer agradar um homem que não agrada a si mesmo? Pode agradar a si mesmo o homem que se arrepende de quase tudo o que faz?

54. Já não se limite a respirar o ar que o rodeia, mas pense também, a partir desse momento, em conjunção com a inteligência que tudo o rodeia. Porque a faculdade inteligente está dispersa por todos os lugares e penetrou o homem capaz de atraí-la não menos que o ar no homem capaz de respirá-lo.

55. Em geral, o vício não causa danos em nada ao mundo. E, em particular, é nulo o dano que produz a outro; é unicamente pernicioso para aquele a quem lhe foi permitido renunciar a ele, assim que o deseje.

56. Para minha faculdade de decisão é tão indiferente a faculdade decisória do vizinho com seu hálito vital e sua carne. Porque, apesar de que especialmente nascemos uns para os outros, contudo, nosso individual guia interior tem sua própria soberania. Pois, em outro caso, a maldade do vizinho iria ser certamente um mal meu, coisa que Deus não estimou oportuna, a fim de que não dependesse de outro o tornar-me feliz.

57. A luz do sol parece despejada e está difundida por tudo; não, porém, esgotada; é que esse difundir é um prolongar. Sua luminosidade chama-se actínia pelo fato de se alongar. Podemos verificar o que vem a ser um raio de luz, quando observamos a do sol penetrar numa sala escura por uma abertura estreita; ela se alonga em linha reta e como que se apoia no primeiro objeto sólido que aparece barrando-lhe a passagem para o ar além; ali para, sem escorregar nem cair. Assim se deve a inteligência derramar e difundir, nunca se exaurindo, mas alongando-se, sem bater com violência ou ímpeto nos obstáculos apresentados, nem tampouco cair, mas parando e iluminando aquilo que a recebe. Por si mesmo se privará do brilho aquilo que não o refletir.

58. Quem teme a morte teme ou a ausência dos sentidos, ou sentir de outra maneira. Ora, ou não haverá mais sensação e tampouco sentirá nenhum mal, ou adquirirás sensibilidade de outra natureza e será um vivente de outra espécie, não terá cessado de viver.

59. Os homens foram feitos uns para os outros; ensine-os, ou suporte-os.

60. Dum modo voa a flecha, doutro a inteligência; mas não menos voa em linha reta e sobre o alvo a inteligência quando se previne e quando se detém na meta visada.

61. Penetre até o guia de cada um e deixe todos os outros penetrarem até o seu.

Possuir comportamento íntegro, conter o instinto, apagar o desejo, conservar em você o guia interior.

Livro 9

1. Aquele que comete injustiças é ímpio. Pois dado que a natureza do conjunto universal tem feito os seres racionais para ajudar uns aos outros, de maneira que se favorecessem uns aos outros, segundo seu mérito, sem que em nenhum caso se prejudicassem.

Aquele que transgride essa vontade comete, evidentemente, uma impiedade contra a mais excelsa das divindades. Também, aquele que mente é ímpio com a mesma divindade, pois a natureza do conjunto universal é a natureza dos seres, e estes são vinculados com tudo o que existe. Mais ainda, esta divindade recebe o nome de verdade e é a primeira causa de todas as verdades. Em consequência, o homem que mente voluntariamente é ímpio, assim que ao enganar comete injustiça. Também é ímpio o que mente involuntariamente, porque também está em discordância com a natureza do conjunto universal. E não sem culpa a contraria, mesmo quem se recusa à verdade, descartando os recursos que a natureza dá, não sabe distinguir o falso do verdadeiro. E certamente é ímpio também quem persegue os prazeres como se fossem bens, e evita as fadigas como se fossem males. Porque é inevitável que o homem recrimine constantemente a natureza comum na convicção de que esta faz uma distribuição injusta dos méritos, dado que muitas vezes os males vivem entre prazeres e possuem aqueles meios que os proporcionam, enquanto que os bons caem no pesar e naquilo que o origina. Mais ainda, quem teme os pesares temerá algo que, inevitavelmente, algum dia acontecerá no mundo, e isso já é impiedade. E aquele que persegue os prazeres não se absterá de cometer injustiças; e isso sim que é claramente impiedade. Portanto, em relação a essas duas coisas, a natureza é indiferente, pois não teria criado ambas as coisas, se não tivesse sido indiferente em relação às duas; quem deseja seguir a natureza deve seguir a sua indiferença, no mundo se repetem de maneira igual. Dessa maneira, ímpio é aquele que não se torna indiferente à alegria e aos males, à fama e à infâmia, coisas que a natureza do conjunto universal usa indistintamente. E a natureza comum usa estas coisas indiferentemente, em vez de considerar obra do acaso as coisas que acontecem; e que tudo é motivado devido a um primeiro impulso da Providência, segundo a qual, de um princípio, empreendeu esta organização atual do mundo mediante à combinação de certas razões das coisas futuras e assinalando as potências geratrizes das substâncias, as transformações e sucessões desta índole.

2. Próprio de um homem puro seria afastar-se dentre os homens sem ter gostado da falácia, e todo tipo de hipocrisia, simulação e orgulho. Mas expirar, uma vez criado asco destes vícios, seria, de certa forma, chegar bem ao termo da viagem. Ou prefere estar envolvido nesses vícios e ainda não o incita a fugir de tal peste pela experiência? Pois a corrupção da alma é uma peste muito maior que uma infecção e alteração semelhante deste ar que está esparso em torno de nós. Porque esta peste é própria dos animais, assim como animais; mas aquela é própria dos homens, enquanto homens.

3. Não desdenhe a morte; antes, acolha-a gostosamente, na convicção de que ela também é uma das coisas que a natureza quer. Porque como é a juventude, a velhice, o crescimento, a plenitude da vida, o nascer dos dentes, a barba, a procriação, a gestação, o parto, e as demais atividades naturais que levam as estações da vida, tal é também sua própria dissolução. Por conseguinte, é próprio de um homem dotado de razão comportar-se ante a morte não com hostilidade, nem com veemência, nem com orgulho, a não ser aguardá-la como uma das atividades mais naturais. E do mesmo modo que o aguarda o momento em que sairá do ventre da mãe o recém-nascido, assim também aguarda a hora em que sua alma se desprenderá desse envoltório. E se também quer um conselho simples, que anime seu coração e se torne sereno diante da morte, analise as coisas e o gênio dos homens de que se livrará, aos quais não se mesclará a sua alma. Porque absolutamente é preciso conviver com esses homens, tratando-os com doçura, e não os hostilizando; recorde, entretanto, que se verá livre de homens que apenas pensam diferente de você. A única coisa que nos prenderia à vida seria a convivência com quem sentisse e pensasse como nós. Mas sabe muito bem quão penosa é a desarmonia e a discórdia na vida em comum, até o ponto de dizer: "Oxalá, chegasse quanto antes, ó morte! Antes que eu perca o domínio de mim mesmo!"

4. Quem transgride a lei fere a si mesmo; quem comete uma injustiça, comete contra si mesmo, e a si mesmo se torna mau.

5. Tanto na omissão quanto na ação pode-se constituir uma injustiça.

6. De nada mais precisará se sua opinião presente for verdadeira, se sua ação presente for útil à sociedade e se sua disposição for de acolher de bom grado tudo o que for de causa exterior.

7. Possuir comportamento íntegro, conter o instinto, apagar o desejo, conservar em você o guia interior.

8. Uma só alma foi distribuída entre os animais irracionais, uma alma inteligente foi dividida entre os seres racionais, igualmente uma é a terra de todos os seres terrestres, e com uma só luz vemos, e com o mesmo ar respiramos, todos que vemos e vivemos.

9. Todas as coisas que compartilham algo em comum se inclinam para suas semelhantes. Assim, o que é da terra se inclina para a terra, o que é úmido para a água e o que é aéreo para o ar. Já o fogo tende a subir graças ao fogo elementar, que tão inclinado está a se unir com o fogo daqui que todo material seco é inflamável devido ao menor grau de combinação com aquilo que impede a combustão. Da mesma forma, tudo o que participa da natureza inteligente comum anseia, com vigor ainda maior, por seus semelhantes. Quanto mais é aperfeiçoado, tanto mais prontamente se mistura e confunde com o seu semelhante. Mesmo entre os animais irracionais podemos perceber enxames, manadas, ninhadas e, por que não, amores: é que também neles já existem almas. E, quanto mais se elevam, mais suas almas manifestam a busca da razão e o instinto gregário, o que não se vê nos vegetais, nem nas pedras ou na madeira. Entre os seres racionais verificam-se regimes políticos, amizades, famílias, reuniões, bem como nas guerras, tratados e tréguas. Entre os seres ainda superiores, embora distantes, de certo modo subsiste uma união; como, por exemplo, entre os astros. Assim, o esforço para ascender a um grau mais elevado pode manifestar a solidariedade mesmo nos seres longínquos. Assim, observe o que se sucede: apenas os seres inteligentes andam agora esquecidos da atração mútua e da tendência à união, e somente neles não se vê confluência. Contudo, por mais que fujam, são detidos de todos os lados, pois a natureza é mais poderosa. Você verá o que eu lhe digo, se prestar a devida atenção: é mais fácil encontrar um punhado de terra isolado da terra do que um homem isolado do homem.

10. Produz seu fruto o homem, Deus e o mundo. Cada um o produz em seu próprio tempo. Mas se, habitualmente, esse ditado foi mais utilizado no sentido aplicado às árvores e seus frutos, não tem importância. A razão tem também um fruto comum e particular, e do mesmo fruto nascem outros semelhantes como a própria razão.

11. Se puder, eduque o homem; caso contrário, recorde que lhe foi dada a benevolência para este fim. Também os deuses são benévolos com as pessoas com atitudes assim. E em certas facetas colaboram com eles para conseguir a saúde, a riqueza, a fama. Até tal extremo chega a bondade divina! Também você tem esta possibilidade; ou diga-me, quem o impede disso?

12. Não se esforce como um desventurado, nem como quem quer ser compadecido ou admirado; que antes seja seu único desejo agir de acordo com justiça em função do todo.

13. Hoje me livrei de toda circunstância difícil, melhor dizendo, joguei fora de mim todo problema, porque este não estava fora de mim, a não ser dentro, em meus pensamentos.

14. Tudo é o mesmo e se repete: habitual pela experiência, efêmero pelo tempo e ruim por sua matéria. Tudo se repete como o tempo daqueles que já foram sepultados.

15. As coisas permanecem estáticas fora de nós, fechadas em si mesmas, sem saber e sem julgar nada a respeito de si mesmas. Quem então as conhece? A razão.

16. O bem e o mal não radicam no sofrimento, a não ser na atividade do ser racional e social, como tampouco sua excelência e seu defeito estão no sofrimento, a não ser na ação.

17. Para a pedra jogada para o alto, a subida e a descida não a prejudica.

18. Penetre em seu guia interior, e verá a que juízes teme, que classe de juízes são.

19. Tudo está em transformação; você também está em contínua transformação e, em certo modo, destruição, e igualmente o mundo inteiro.

20. É preciso deixar de lado a falha alheia.

21. A conclusão de uma atividade, repouso de um instinto ou de uma opinião, não são nenhum mal. Passe agora às idades, por exemplo: a infância, a adolescência, a juventude, a velhice; porque também toda mudança destas é uma morte. Acaso é terrível? Passe agora à etapa de sua vida que passou aos cuidados do seu avô; depois sob a autoridade de sua mãe; e a seguir sob a autoridade de seu pai. E ao passar por outras muitas transições, mudanças e interrupções, pergunte-se: Acaso é terrível? Da mesma maneira não será o fim de sua vida a transformação final?

22. Agilize a análise do seu ser, assim como do ser do universo de cada homem. De sua parte, para torná-lo justo e inteligente. No que corresponde ao conjunto universal, para que relembre daquilo de que você é parte; no caso do seu semelhante, para que saiba se ele agiu de uma forma ou de outra forma: na ignorância ou no conhecimento, de maneira a se lembrar de que ele é o seu irmão.

23. Assim como você é um membro complementar do sistema social, sua atividade é complemento da vida social. Por conseguinte, toda atividade que não se refira direta o remotamente ao fim social afunda a sua vida e não permite que exista unidade, sendo caótica. De igual modo é quem retira sua contribuição pessoal à harmonia comum.

24. Aborrecimentos e jogos de meninos, frágeis almas que transportam cadáveres, é o que Homero nos mostra ao vivo na "Evocação dos mortos".

25. Pense na qualidade da causa e, isolando-a da matéria, procure contemplá-la em si mesma. Veja o tempo máximo que dura o objeto individual.

26. Você tem suportado uma infinidade de males por não ter se resignado a desempenhar a função para que foi designado. Dê um basta agora.

27. Sempre que o outro o insultar, odiar proferir palavras desse tipo contra você, penetre em sua pobre alma, infiltre-se em seu íntimo e veja de que espécie é. Verá que não deve se angustiar pelo que ele pensa de você. No entanto, terá que ser benevolente com ele porque é, por natureza, seu amigo. E, inclusive, os deuses lhe dão ajuda total por meio de sonhos e oráculos para que, apesar de sua conduta, consiga aquilo que é de seu interesse e lhe causa desavença.

28. As circunvoluções do mundo, de cima abaixo, de século em século são sempre as mesmas. Sendo assim, ou a inteligência do conjunto universal impulsiona a cada um — feito que, se assim for, deve submeter seu coração aos seus desígnios e impulsos — ou de uma só vez deu o impulso, e o restante se seguiu por consequência. Pois, em certo modo, são átomos ou coisas indivisíveis. Em síntese, ou há um Deus inteligente e providente, e tudo está bem, ou tudo se rege pelo acaso. Não se deixe ser governado pelo acaso. Logo a terra cobrirá a todos nós, logo também ela se transformará e, junto, aquelas coisas se transformarão até o infinito e assim sucessivamente. Levando em consideração o fluxo das transformações e alterações e sua rapidez, todo o mortal é desprezado.

29. A causa do conjunto universal é uma corrente impetuosa. Transporta tudo. Quão vulgares são esses homens que brincam com assuntos da política e imaginam governar como filósofos! Estão cheios de sujeiras! Faz o que agora exige a natureza, indiferente se alguém percebe ou não. Não tenha esperança na República de Platão; antes, contente-se com qualquer progresso, o mínimo que seja, e pense que este resultado não é uma insignificância. Quem, entretanto, conseguirá mudar a mentalidade dos homens? Não mudando o pensamento deles, o que se pode fazer, senão torná-los escravos que gemem e fingem obedecer? Repare então em Alexandre, Filipe e Demétrio, o faleriano. Eu lhes seguirei se tiverem compreendido qual é o desejo da natureza comum e se educaram a eles mesmos. Mas se fingirem aparências, ninguém me obrigará a imitá-los. Singela e respeitável é a missão da Filosofia. Não me induza à vaidade.

30. Observe de cima o sem-número de rebanhos humanos, sua infinidade de ritos e todo tipo de navegação marítima em meio a tempestades e calmarias, a diversidade de seres que nascem, convivem e se vão. Reflita também sobre a vida por outros vivida tempos atrás, sobre os que viverão posteriormente a você e sobre os que atualmente vivem em outros países; e quantos homens nem sequer conhecem seu nome, e quantos o esquecerão instantaneamente; quantos, que talvez agora o elogiam, mas em breve o insultarão. Nem a lembrança, nem a fama, nem nenhuma outra coisa que disso sobra de nada vale.

31. Serenidade diante de algo que acontece a partir de uma causa exterior a você; retidão diante de uma causa de provém de você. Em suma, determinação e ação visando ao bem da sociedade, que é o que pede a sua natureza.

32. Você tem o poder de acabar com muitas coisas que o afetam, pois muitas dessas coisas se encontram em suas concepções. E conseguirá, desde este momento, um imenso e amplo campo para você, abrangendo com o pensamento o mundo todo, refletindo sobre o tempo infinito e pensando na rápida transformação de cada ser em particular. Quão breve é o tempo que separa o nascimento da dissolução, quão imenso é o período anterior ao nascimento e quão ilimitado é, igualmente, o período que se seguirá à dissolução.

33. Muito em breve, tudo o que seus olhos contemplam será destruído; e os que presenciaram a destruição dessas coisas, dentro de muito pouco, serão também destruídos. De nada se avantaja quem morreu na velhice daquele que morreu prematuramente.

34. Quais são os princípios que guiam este povo? Qual é o alvo de seus esforços? Por que motivos têm afeição ou estima? Busque contemplar suas almas profundamente, como se estivessem nuas, e verá o quão pretensiosos são quando supõem feri-lo com seus insultos, ou exaltá-lo com seus louvores.

35. A morte é nada mais que transmutação, pela qual se cumpre a natureza universal. E a natureza, em tudo o que realiza, é boa. Tem sido assim por incontáveis séculos, e assim será por toda a eternidade. E você, o que pragueja? Que todas as coisas sempre foram e sempre serão falhas? Que, dentre tantos deuses, nenhum teve a capacidade de corrigi-las? Que o mundo foi condenado a males sem fim?

36. A parte corruptível da substância de cada ser é água, pó, ossos, fetidez. Os mármores são calosidades da terra; o ouro e a prata são sedimentos; as roupas são como se fossem pelos; a púrpura, sangue, e outro tanto todo o resto. O próprio sopro vital não é diferente, pois que passa de um a outro ser, vitalizando-os.

37. Chega desta vida miserável, de lamentações, de astúcias. O que o perturba? Que novidade há nisso? O que o tira do centro? A causa? Examine-a. A matéria? Examine-a. Fora disso nada existe. Mas, a partir de agora, torne sua relação com os deuses mais singela e melhor. Ter visto tudo isso em cem ou três anos não altera nada.

38. Se ele errou, o mal está com ele. Mas talvez ele não tenha errado.

39. Tudo provém de uma só fonte inteligente, como se tudo procedesse para um único corpo. Dessa maneira não é preciso que a parte se queixe do que acontece em favor do conjunto universal. Ou então só existem átomos, e nenhuma outra coisa a não ser confusão e dispersão. Por que, então, ficar perturbado? Pergunte a sua alma: "Morreu? Foi destruída? Converteu-se em besta? Interpreta um papel? Faz parte de um rebanho, alimentando-se com ele?"

40. Os deuses ou nada podem ou podem tudo. Se nada podem, por que ora por eles? Se tudo podem, por que não lhes pede que possa receber a graça de não mais temer nem cobiçar nada disso, nem sofrer por nada disso, em vez de pedir que uma dessas coisas cruze ou seja desviada do seu destino? Afinal, se os deuses podem amparar os homens, podem ajudá-los também nesses pedidos. Mas você dirá, quem sabe: "Os deuses deixaram isso nas minhas mãos". Então, não é melhor que faça uso das suas forças com liberdade em vez de se digladiar com o que absolutamente não depende de você, como um servo de seus anseios? E quem lhe disse que os deuses não nos ajudam no que está em nossas mãos? Comece a orar por isso e verá o que se passa. Assim, se alguém roga: "Que fulana me receba"; eis o que você deve rogar: "Que eu não deseje ser recebido por ela". E se um homem pede: "Que eu fique livre de beltrano". Você deve pedir: "Que eu não precise livrar-me dele". E se outro homem ora: "Que eu não perca o meu filho". Você deve orar: "Que eu não sinta o medo de perdê-lo". Em suma, troque suas súplicas neste sentido e observe os resultados.

41. Epicuro disse: "Quando estava enfermo, não falava dos meus sofrimentos corporais, nem mesmo com os meus visitantes, acrescenta, tinha bate-papos deste tipo; mas sim seguia me ocupando dos princípios relativos a assuntos naturais, e, além disso, de ver como a inteligência, embora participa das comoções que afetam a carne, segue imperturbável atendendo a seu próprio bem; tampouco dava aos médicos, afirma, oportunidade de se exibir de sua contribuição, mas sim minha vida discorria feliz e nobremente." Faça o mesmo na enfermidade e em qualquer outra circunstância. Porque é comum a todas as escolas manter-se fiel à Filosofia em todas as suas conjunturas, sem fofocar com os néscios e os ignorantes. Cuide apenas do que faz no momento e dos meios que emprega para isso.

42. Quando se incomodar com a impudência de alguém, pergunte logo a si mesmo: "Poderia não haver impudentes no mundo?" Não, não poderia. Assim sendo, não deseje o impossível – esse é um daqueles impudentes que há necessariamente no mundo, e assim está bom. Recorra ao mesmo pensamento ao se deparar com um patife, com um desleal, com qualquer um que incorra em erro, seja ele qual for. Com a lembrança de que é impossível não existir essa espécie de gente, você decerto será mais gentil com cada um. Eficaz, também, é pensar em qual virtude deu a natureza ao homem para suportar determinada falta, pois ela nos deu como antídoto da ingratidão a paciência, e como antídoto de outros vícios ela nos ofertou outras virtudes. Em suma, você tem todo o direito de instruir a quem incorre em erro, afinal todo pecador é alguém que erra o seu alvo e se perde do caminho. Aliás, que mal ele lhe causou? Pensando assim, você logo verificará que, dentre as pessoas com quem se irrita, nenhuma fez nada que resulte na corrupção da sua alma, e é nisso apenas que consiste para si todo o mal e todo o dano. O que há de mau e estranho no fato de o ignorante se comportar como ignorante? Ora, veja se não deveria recriminar antes a si mesmo por não ter previsto que ele cometeria este erro ou aquele. A razão lhe dá elementos para que você possa antecipar que tal pessoa incorrerá em tal erro; ainda assim, você se esquece disso, e estranha quando o erro é cometido. Sobretudo, antes de se queixar de alguém que foi desleal ou ingrato, volte seu olhar para si mesmo: é evidente que é sua a culpa se acaso acreditou que um homem dessa índole manteria a sua palavra, ou se, ao conceder algum benefício, não tinha por certo de que a sua recompensa se bastava tão somente no fato de haver praticado uma boa ação. O que mais deseja um homem ao haver praticado o bem? Não basta apenas agir segundo a sua natureza, mas sim buscar uma recompensa? Como se o olho reclamasse alguma recompensa porque vê, ou os pés porque caminham. Porque, igual a estes membros - que foram feitos para uma função concreta, e ao executar estar de acordo com sua particular constituição, pois cumprem sua missão peculiar - assim também o homem, benfeitor por natureza, sempre que fizer uma ação benéfica ou simplesmente cooperar em coisas indiferentes, também obtém seu próprio fim.

Não siga discutindo a respeito de que tipo de qualidades deve possuir um homem de bem. Trate de ser um.

Livro 10

1. Será a minha alma algum dia boa, simples, una, nua, mais visível do que o corpo que a envolve?

Provará algum dia o sabor de sentimentos amorosos e resignados? Estará alguma vez saciada, sem necessidade nem desejo de coisa alguma, animada ou inanimada, para desfrutar deleites? Nem de tempo para os desfrutar mais longamente, nem de lugar, nem de espaço, nem de clima propício, nem de boa harmonia das pessoas? Estará satisfeita com a situação, contente com tudo que lhe acontece, convencida de que tudo vai bem para você e é graça dos deuses, de que estará bem tudo que a eles apraz e tudo que hão de outorgar para a salvação do vivente perfeito, bom, belo, que gera, une, envolve e abraça tudo quanto se desfaz para o nascimento de outros seres iguais? Será um dia tal que habite a mesma cidade que os deuses e os homens, sem deles se queixar nem lhes dar razão de queixa?

2. Observe o que a natureza exige de você como de um ser só por ela governado; depois, cumpre-o e seja submisso para não vir sua natureza de vivente a sofrer detrimento em suas disposições. Em seguida, deve observar o que de você exige a sua natureza de vivente e aceitá-lo integralmente, para não vir sua natureza de vivente racional a sofrer detrimento em suas disposições. Porém, o racional é desde logo social. Siga estas regras e não desperdice os seus esforços.

3. Todo acontecimento ocorre de maneira que sua natureza ou o suporte ou não. Se lhe acontecer o que a sua natureza suporta, não se revolte; suporte-o como a sua natureza pode. Se acontecer o que sua natureza não suporta, não se revolte, porque mais cedo há de exauri-lo. Lembre-se, porém, de que sua natureza suporta tudo que de sua opinião depende tornar suportável e tolerável, bastando imaginar que é de sua conveniência ou de seu dever fazê-lo.

4. Se ele se engana, ensine-o com bondade e mostre-lhe o erro. Se não o pode, culpe a você mesmo ou nem sequer a você mesmo.

5. Algo que lhe aconteça, desde a eternidade, já estava preestabelecido para você. E tudo que lhe aconteça provém do encadeamento de causas.

6. Quer sejam os átomos, quer seja a natureza, admita-se em primeiro lugar ser eu uma parte do todo regido pela natureza; depois, ter eu certo parentesco com as partes de igual origem. Lembrado disso, na minha qualidade de parte, não me hei de contrariar com nenhum quinhão do todo, pois nada prejudica uma parte, se convém ao todo. O todo, com efeito, nada tem que lhe não convenha; isso é comum a todas as naturezas, mas a do mundo goza ainda da vantagem de não ser forçada por nenhuma causa exterior a produzir nada que lhe seja nocivo. Lembrando-me de que sou uma parte de semelhante todo, acolherei de bom grado tudo o que acontecer. Como sou de certo modo aparentado com as partes de igual origem, nada farei contrário à comunidade; antes, visarei ao bem de meus semelhantes, dirigirei todos os meus impulsos no sentido da conveniência comum e os desviarei do rumo oposto. Assim realizados esses propósitos, minha vida necessariamente correrá com felicidade, tal como se imaginaria o curso feliz da vida de um cidadão que, na sequência de seus atos, fosse útil aos concidadãos e saudasse de bom grado as partes que a cidade lhe distribuísse.

7. É fatal que se deteriorem as partes do todo, quero dizer, tudo que o mundo abrange; entenda-se no sentido de que se alterem. Mas, digo, se isso for para elas um mal inevitável, o todo não pode estar bem dirigido, uma vez que as partes caminham para a alteração e estão diversamente constituídas para a deterioração. Acaso a natureza empreendeu arruinar suas próprias partes, criando-as sujeitas a cair no mal e necessariamente inclinadas para o mal, ou não percebeu que assim acontecia? Não; ambas as hipóteses são incríveis. Se, dispensando a natureza, se interpretasse o fato pela constituição das coisas, que ridículo seria afirmar, de um lado, que as partes do todo estão constituídas para se transformar e admirar-se, de outro, indignar-se como se fosse um acontecimento fora do natural, principalmente quando a decomposição as resolve naqueles elementos de que cada qual é composta! Ou há uma dispersão dos elementos componentes, ou a transformação da parte sólida em terra e do alento em ar, para que também estes sejam recolhidos pela razão do universo, quer seja este consumido periodicamente pelo fogo, quer se renove por meio de mudanças perpétuas. Não pense que sua parte sólida e seu alento são os de quando nasceu; pois isso tudo se acresceu afluindo dos alimentos e do ar inalado a partir de ontem ou anteontem. É, pois, a massa adquirida que se transforma e não a que a mãe deu à luz. Suponha, ao contrário, que a esta está estreitamente ligada pela individualidade, que nada significa, a meu ver, na tese que ora exponho.

8. Depois de ter atribuído a você mesmo as qualidades de bom, grave, veraz, prudente, cordato, altivo, cuidado para não mudar jamais de adjetivos e, se vier a perder esses, retome-os depressa. Lembre-se de que prudência significa em você a atenção minuciosa e cuidadosa a cada pormenor; sensatez, a aceitação espontânea dos quinhões distribuídos pela natureza comum; altivez, a supremacia da parte pensante sobre as emoções brandas ou violentas da carne, sobre a glória vã, a morte etc. Portanto, se você continuar a se preservar nesses títulos, sem pensar em ser chamado por outros, será um homem transformado e terá outra vida. Se permanecer tal qual tem sido até agora e se deixar nessa vida lacerar e caluniar, o que é próprio de indivíduos grosseiros e apegados à vida, parecidos com gladiadores semidevorados e que, embora cobertos de ferimentos e de sangue, ainda assim pedem que os guardem para serem, como estão, atirados às mesmas garras e dentes. Aventure-se, então, nesses poucos títulos. Se puder se manter neles, como se tivesse emigrado para umas Ilhas Afortunadas, se perceber, porém, que está caindo e já perde o controle, refugie-se em algum recanto onde possa recuperar as rédeas da situação, ou deixe definitivamente a vida, sem cólera, com singeleza, liberdade e modéstia, tendo realizado na vida pelo menos uma façanha: a de sair assim. Contudo, muito o ajudaria a lembrar-se dos títulos a lembrança dos deuses e a de que estes não querem ser adulados e sim que todos os seres racionais a eles se igualem, que a figueira faça o trabalho de figueira, o cão o de cão, a abelha o de abelha e o homem o de homem.

9. A farsa, a guerra, o temor, a estupidez, a escravidão irão apagando, dia a dia, aqueles princípios sagrados que você, homem estudioso da natureza, imagina e acata. É preciso que olhe o todo e faça de tal modo que simultaneamente cumpra o que é dificultoso e de uma vez coloque em prática o teórico; e conservando em você íntima, porém visível, a satisfação que vem do conhecimento de cada coisa. Pois, quando gozará da simplicidade? Quando da gravidade? Quando do conhecimento de cada coisa? E quando poderá discernir o que é em essência cada coisa que compõe o mundo e quanto tempo está disposto pela natureza e que elementos a compõem? A quem pode pertencer? Quem pode outorgá-la e tirá-la?

10. Uma pequena aranha se orgulha de ter caçado uma mosca. O homem se orgulha de pegar uma lebre; outro, uma sardinha na rede; outro, javalis; outro, ursos; e o outro, sármatas. Não são todos eles uns criminosos, se examinar atentamente seus princípios?

11. Adquira um método para contemplar como todas as coisas se transformam umas nas outras; e sem cessar, aplique e exercite a Filosofia, já que nenhuma outra eleva a alma. Quem se dedica como quem se despiu de seu corpo, considerando que em breve deverá abandonar todas estas coisas e afastar-se dos homens, entrega-se inteiramente à justiça nas atividades que dependem dele, e à natureza do conjunto universal. O que se dirá dele, ou o que se imaginará, ou o que se fará contra ele, não o preocupa, pois só estas duas coisas busca: fazer com retidão o que atualmente lhe compete e amar a parte que agora lhe é atribuída, renunciando a toda atividade e afã. E não quer outra coisa que não seja cumprir com retidão segundo a lei e seguir a Deus que se movimenta pelo reto caminho.

12. Que necessidade você tem de uma sugestão quando lhe é possível examinar o que deve fazer? Caso veja um rumo, siga por este caminho tranquilamente e sem desvios ou receios. Do contrário, detenha e recorra aos mais sábios; e acaso outras diversas travas criem obstáculos à missão que o conduz, siga adiante segundo os recursos ao seu alcance, tendo presente em seus cálculos o que lhe parecer justo. Porque o melhor é alcançar este objetivo, e o contrário é causa de todos os males. Tranquilo e entretanto resoluto, alegre e entretanto sério é aquele que segue sempre a razão.

13. Pergunte para você mesmo, assim que despertar do sono: acaso me importa que outros pratiquem a justiça e o bem? Não importa. Acaso esqueceu como procedem no leito e à mesa aqueles que elogiam ou censuram os outros com arrogância, o que fazem, o que evitam, o que buscam, o que furtam, o que roubam, não com as mãos e os pés, mas com sua parte mais nobre, aquela onde, quando se quer, há lealdade, pudor, verdade, a lei, a boa consciência?

14. À natureza que tudo dá e tudo toma, diz o homem educado e respeitoso: "dê-me o que queira, recupera o que queira". E não o diz com orgulho, senão com submissão e benevolência.

15. Pouco tempo lhe resta. Viva como numa montanha, pois nada importa o ali ou aqui, ou em qualquer parte mundo, como numa cidade. Que os homens observem e estudem um homem que vive de verdade em consonância com a natureza. Se não o suportarem, que o matem. Porque assim é melhor do que viver uma vida naquelas condições.

16. Não siga discutindo a respeito de que tipo de qualidades deve possuir um homem de bem. Trate de ser um.

17. Imagine sem cessar a eternidade em seu conjunto e a substância, e que todas as coisas em particular são, em relação à substância, como um grão infinitesimal; e a respeito do tempo, como um giro de uma broca.

18. Detenha em cada uma das coisas que existem, e conceba-a já em estado de dissolução e transformação, e como evolui à putrefação ou à dispersão. Considere que cada coisa nasceu para morrer.

19. Como são os homens quando comem, dormem, quando dormem com uma mulher, e quando se entregam às necessidades animais! Logo, como são quando se mostram altivos e orgulhosos, ou quando se zangam e, apoiando-se em sua superioridade, humilham a outros. Há pouco tempo eram escravos de quantos senhores e por que motivos. E dentro de pouco se encontrarão em circunstâncias parecidas.

20. Convém a cada um o que lhe contribui a natureza do conjunto universal, e convém precisamente no momento em que aquela o contribui.

21. A terra deseja a chuva; deseja-a também o venerável ar. Também o universo adora criar o que deve ser. Digo, pois, ao mundo: "Meus desejos são os seus". Não o diz aquela frase proverbial: "isso ou aquilo ama acontecer"?

22. Ou vive aqui, por já estar acostumado; ou se afaste, ou morra, se cumpriu sua missão. Fora disso, nada mais existe. Por conseguinte, tenha bom ânimo.

23. Que fique claro para você que a vida não seria melhor nos campos, ou nas campinas; e como tudo o daqui é igual ao que está no campo ou na montanha ou no litoral ou onde queira. Acabará concordando com as palavras de Platão: "...num palácio como numa cabana na montanha, tirando leite das ovelhas...".

24. O que significa para mim a minha consciência? E o que faço dela agora, e para que a utilizo atualmente? Está vazio de inteligência, desvinculado, e separado da sociedade, fundido e misturado com a carne, até o ponto de poder modificar-se com esta?

25. Quem foge do seu senhor é um desertor. A lei é nosso senhor, e quem a transgride é um desertor. E de uma vez, também quem se aflige, irrita ou teme, e não aceita o que tenha lhe acontecido pela lei, também é um desertor.

26. O pai depositou o sêmen no útero e se retirou; a partir deste momento outra causa interveio elaborando e aperfeiçoando o feto. Que causa, de que origem? Depois a criança deglute o alimento: outra causa intervém e produz a sensação, o instinto e, em uma palavra, a vida. Observe tais maravilhas que se processam ocultamente, reconheça o poder que as opera, como reconhecemos o que faz cair ou erguer os corpos, embora seja evidente que com os olhos nada disso vemos.

27. Observe que tudo que agora está feito, antes também se fez e sempre se fará. Coloque diante dos olhos os dramas e cenas semelhantes que conheceu por própria experiência ou por narrações históricas mais antigas, como, por exemplo, toda a corte de Adriano, toda a corte de Antonino, toda a corte de Filipe, de Alexandre, de Crésus. Todos aqueles espetáculos tinham as mesmas características, só que com outros atores.

28. Todo homem que se aflige ou se revolta parece um leitão que se debate e guincha ao ser imolado. Pois se iguala aquele que, sozinho, em seu leito, em voz baixa se lamenta dos laços que o prendem. Pense que só ao ente racional foi dado obedecer voluntariamente, conquanto seja imperativo obedecer simplesmente.

29. Detenha-se particularmente em cada uma das ações que pratica e se pergunte se a morte é terrível por privá-lo dela.

30. Sempre que uma falta de alguém o escandalizar, pense que já cometeu falta semelhante, por exemplo, ao considerar que o dinheiro é um bem, ou o prazer, ou a fama, ou outras coisas deste estilo. Porque se assim agir, rapidamente esquecerá a irritação, e então notará que ele foi forçado a fazer isso. E o que pode fazer? Se puder fazer algo, livre-o do que o obriga.

31. Ao ver Sátiro, Eutiquio ou Himenio, evoca um socrático; e ao ver Eufrates, imagina Eutíquio ou Silvano; ao ver o Aleifrônio, imagina Tropeóforo; e ao ver Xenofonte, imagina Critão ou Severo; volta também os olhos sobre ti mesmo e imagina a um dos Césares; e sobre cada um deles imagina no que se assemelhas. Continuando, sobrevenha a seu pensamento a seguinte consideração: Onde estão estes homens? Em nenhuma parte ou em qualquer lugar. Pois desta maneira concluirás constantemente que as coisas humanas são fumaça e nada mais. Mesmo assim recorde-se de que quem uma vez se transformou jamais, em todo o tempo infinito, voltará ao que era. Então, por que se atormenta? Não lhe é suficiente atravessar dignamente o curto espaço que lhe foi concedido? Quantas vezes deixou de agir e refletir! Porque, o que é tudo a não ser exercícios da razão que viu, exatamente, segundo a ciência da natureza, as vicissitudes da vida? Continua, pois, até haveres assimilado tais pensamentos, como um estômago forte tudo assimila, como o fogo ardente, do que quer que lhe atirem, formará chama e luz.

32. Que ninguém possa lhe dizer que não é um homem singelo e bom. Ao contrário, quem blasfemar contra você, que seja tido como um mentiroso. Tudo isto só depende de você, pois quem o impede de ser singelo e bom? Basta decidir não mais viver se não o for, pois nem a razão exige que vivas sem que o seja.

33. Em minhas atuais circunstâncias, o que pode ser falado ou feito da maneira mais condizente com a razão? Porque, seja o que for, é possível fazê-lo ou dizê-lo, e não alegue obstáculos. Nunca. Não interromperá suas lamentações até que tenha consciência de que o que lhe é submetido e apresentado é tão valorizado pela sua mente quanto o luxo o é para os lascivos. Trate de fazer o que é próprio da condição humana. Porque é preciso considerar como desfrute tudo aquilo que lhe for possível executar de acordo com a sua particular natureza; e em todas as partes lhe é possível. Com efeito, não se permite ao cilindro desenvolver sempre seu movimento particular, tampouco lhe permite à água, nem ao fogo, nem a outros objetos que são regidos por uma natureza ou alma irracional. Porque são muitas as travas que os retêm e contêm. Entretanto, a inteligência e a razão podem transpassar todo obstáculo de conformidade com seus dotes naturais e seus desejos. Coloque diante dos olhos esta facilidade, segundo a qual a razão cruzará todos os obstáculos em qualquer direção, seja igual ao fogo que sobe, a pedra que cai, ao cilindro que se desliza por um eixo, e nada o impede de seguir. Porque os obstáculos pertencem somente ao corpo, esse cadáver, que se não fosse a opinião ou a razão que o sustentasse, o que seria? Se não fosse assim, seriam corrompidos aqueles que fossem vitimados, como acontece com todas as outras produções da natureza ou da arte, que os acidentes deterioram. Ao contrário, o homem fica mais digno quando faz uso dos obstáculos com os quais se deparam, sejam eles quais forem. Em suma, lembre-se que nada é nocivo ao cidadão que não seja nocivo à cidade, e que nada é nocivo à cidade que não seja também nocivo à lei, e que a adversidade em nada ofende a lei. Não a ofendendo, não ofende a cidade e tampouco ao cidadão.

34. Aquele que foi tocado pelos verdadeiros princípios, basta uma simples palavra e a mais coloquial para lhe dissipar a tristeza e o temor. Por exemplo: "As folhas, atire-as o vento ao chão, assim também a geração dos homens". Também são folhas caídas seus filhos; folhas caídas deste mundo são também estes pequenos seres que o clamam sinceramente e o exaltam ou, ao contrário, o amaldiçoam, ou em segredo o censuram e o burlam; e também são folhas caídas os que celebrarão a fama póstuma. Porque tudo isto "ressurge na estação primaveril". Logo, o vento as derruba; continuando, outras folhas brotam em substituição daquelas. Comum a todas as coisas é a fugacidade. São efêmeras todas as coisas, mas você, entretanto, as evita ou busca como se fossem eternas. Um pouco mais e ficará cego. E ao que o prantear, logo outro pranteará.

35. É preciso que o olho são veja todo o visível e não diga: "quero que isso seja verde". Porque isto é próprio de um homem doente da visão. E o ouvido e o olfato sãos devem estar dispostos a perceber todo som e todo aroma. E o estômago são deve digerir todos os alimentos, da mesma maneira como um moinho que tritura os grãos que lhe foi concedido a moer. Por conseguinte, também a inteligência sã deve estar disposta a confrontar tudo o que lhe sobrevenha. E quem diz: "Que se salvem os meus filhos" e "Que todos elogiem o que faço" é como um olho que busca o verde, ou um dente que reclama mastigar.

36. Ninguém é tão afortunado que, no momento da morte, regozije-se desse momento. Era diligente e sábio. Em último término haverá algum que diga: "Enfim, iremos respirar livres deste mestre". "Certamente, com nenhum de nós era severo, mas no seu íntimo censurava-nos". Isso nota-se a um homem diligente. Quanto a nós, quantos motivos não há para que mais de um queira se ver livre de nós! Esta reflexão fará perto da morte, e se despedirá deste mundo com ânimo mais plácido se lhe fizer essas considerações: "Deixo uma vida na qual até meus concidadãos, por quem tanto trabalhei, tantos votos fiz, tantos cuidados passei, chegam a desejar a minha ausência, esperando que dela lhes venha algum proveito". Então, qual motivo me faz demorar mais aqui? Mas não por isso deve ser menos benevolente com eles; antes bem, conserva seu próprio caráter: amistoso, benévolo, favorável, e não, ao contrário, como se fosse arrancado daqui, mas sim, do mesmo modo que em uma boa morte a alma se desprende facilmente do corpo, assim também deve se preparar para sua viagem daqui. Porque se foi a natureza que o uniu a eles, é a mesma natureza que agora os separa: "Meus caros amigos, os deixo sem revolta nem drama, mas antes de bom grado e tranquilo, já que é esta a vontade da natureza".

37. Em toda ação feita por qualquer um, acostume-se, na medida de suas possibilidades, a perguntar: "Com que finalidade realiza essa ação?". Mas comece primeiro com você mesmo. Examine primeiro as suas ações.

38. Tenha presente que o que o move como um boneco é certa força oculta em seu interior; esta força é a eloquência, é a vida, é, se terá que dizê-lo, o homem. Nunca a imagine confundida identificada com o recipiente que lhe serve de envoltório ou com os órgãos que lhe são anexos. Porque nenhuma utilidade se deriva dessas partes sem a causa que as move e dá vigor superior, assim como a lançadeira sem a tecelã, uma pena sem o escritor e um chicote sem o cocheiro.

Os pitagóricos aconselhavam elevar os olhos ao céu ao amanhecer, a fim de que nos recordássemos dos corpos celestes que constantemente fazem sua tarefa, e também de sua ordem, sua pureza e nudez, pois uma estrela não tem véu.

Livro 11

1. As propriedades da alma racional são estas: ver a si mesma; analisar a si mesma; tornar-se o que quiser ser; colher, ela mesma, o próprio fruto que produz.

Alcance seu fim, em qualquer momento que a sua vida termine. Quando cortada, toda ação fica defeituosa, tanto nas danças, nas comédias e outras representações. Mas a alma, em qualquer momento que a morte a surpreenda, terá sempre cumprido e completado o seu objetivo: "Tenho tudo o que me pertence". Além disso, percorre o mundo inteiro o vazio que o circunda e sua forma; estende-se na infinidade do tempo, acolhe em torno dele o renascimento periódico do conjunto universal, calcula e se dá conta de que nada novo verão nossos descendentes, e tampouco igual viram nossos antepassados de extraordinário, tanto é que, de certo modo, o homem que viveu quarenta anos, por pouca inteligência que tenha, viu todo o passado e o futuro segundo a uniformidade das coisas. Próprio também da alma racional é amar ao próximo, como também a verdade e o pudor, e não superestimar nada por cima de si mesmo, característica também típica da lei. Portanto, como é natural, em nada diferem a reta razão e a razão da justiça.

2. É necessário que despreze as delícias do canto, da dança, da ginástica, caso decomponhas, por exemplo, a voz harmoniosa em seus sons e, a cada um, indagar: "Será que este me encanta?", pois se envergonhará conhecê-lo. Igualmente se decompuser a dança em seus movimentos, em suas diversas posturas, e fizer o mesmo com os exercícios da ginástica. Consequentemente em tudo, salvo na virtude e no que dela vem, lembre-se de percorrer uma por uma as partes para ver como valem pouco. Aplica essa regra para toda a vida.

3. Que grande alma é aquela que está pronta para se separar do corpo, ou extinguir-se, ou dispersar-se, ou entrar numa outra existência?! Mas de modo que esta disponibilidade venha do próprio julgamento do homem, não de mera obstinação, como os cristãos, de um modo sério e sem teatralidade para convencer os outros.

4. Realizei algo útil à comunidade? Ou só a mim mesmo servi? Sempre reflita sobre essas duas ideias para ajudá-lo a perseverar no bem.

5. Qual é seu ofício? Ser um homem de bem. E como se consegue sê-lo, a não ser mediante as reflexões, umas sobre a natureza do conjunto universal, e outras, sobre a constituição peculiar do homem?

6. No início, as tragédias foram trazidas ao homem para representar os acontecimentos humanos, e que está de acordo com a natureza que as coisas aconteçam assim, e que você não deve fazer do que o encantava no palco um fardo pesado para o palco maior do mundo. Pois você percebe que esses eventos devem ter esse fim e que mesmo aqueles que o suportam gritaram: "Ó Citero! Ai de mim!". E dizem os autores de dramas algumas máximas úteis. Por exemplo: "Se meus filhos e eu fomos abandonados pelos deuses, também isso tem sua justificativa". E esta outra: "O homem não deve se irritar com os fatos". E: "A vida deve se render à foice, assim como um milho maduro", e outras tantas máximas semelhantes. E depois da tragédia, representou-se a comédia antiga, que contém uma liberdade de expressão instrutiva e nos sugere, por sua própria franqueza, não sem utilidade, evitar a arrogância. E essa franqueza direta também Diógenes adotou como algo semelhante. Reflita como era a comédia média e, mais tarde, a nova, passando pouco a pouco para um amor pela técnica baseada na imitação. Que seus autores disseram coisas úteis é inegável. Mas qual a finalidade dessa poesia, dessas composições dramáticas?

7. Como fica evidente o fato de que não existe outra situação tão adequada para a prática da filosofia como essa em que agora se acha!

8. Um ramo cortado do ramo ao qual pertencia não pode deixar de ser cortado, também, de toda a árvore. Assim também o homem que se afasta de um só homem se desliga de toda a comunidade. No entanto, se isso se repete com frequência, dificulta extremamente a reunião e reintegração do afastado. Em suma, não é igual ao ramo que, desde o começo, brotou e seguiu respirando com a árvore, e aquele que se enxerta na árvore alterando a forma, porque fora cortado uma vez.

9. Aqueles que são obstáculos à sua reta razão não poderão impedi-lo de agir, nem o induzir a desviar-se da prática do bem. Ao contrário, o mantém firme em relação a ambas as coisas: não só mantendo-se inabalável na firmeza de seus juízos e atos, como também na mansidão com os que tentam lhe pôr dificuldades, ou o incomodam. Porque é também sinal de debilidade se zangar com eles, e de igual modo abandonar seu rumo e ceder, pois aquele que se amedronta e o que renega seus naturais parentes e amigos, são ambos desertores.

10. Nenhuma natureza é inferior à arte, porque as artes imitam as naturezas. E se assim é, a natureza mais perfeita de todas e a mais abrangente, não pode ficar aquém da habilidade da arte. E certamente todas as artes fazem o inferior com vistas ao superior portanto, também procede assim a natureza universal, e precisamente aqui nasce a justiça e desta procedem as demais virtudes. Porque quem não for indiferente às coisas sem importância, quem se deixar levar pelas aparências, quem for precipitado ou leviano em seus julgamentos, não pode ser considerado justo.

11. Não são as coisas que o perturbam com temor e cobiça que o buscam, mas é você quem as busca. Deixe que seu julgamento a respeito delas não seja perturbado, e não será atormentado pelo temor e pela cobiça.

12. A esfera da alma é semelhante a si mesma, quando não se estende em busca de algo exterior, nem se emaranha em si mesma, nem se dispersa, nem se retrai, mas brilha com uma luz graciosa que contempla a verdade de todas as coisas em seu interior.

13. Alguém me desprezará? Ele verá. Eu, da minha parte, estarei à expectativa para não ser surpreendido fazendo ou dizendo algo merecedor de desprezo. Ele me odiará? Deixe que ele cuide disso. Mas eu serei benévolo e afável com todo mundo, e inclusive com ele mesmo estarei disposto a lhe demonstrar o seu erro, sem insolência, sem tampouco fazer alarde de minha tolerância, a não ser sincera e amigável como o ilustre Fócion, se é que ele não o fazia por alarde. Pois tais sentimentos devem ser profundos e os deuses devem ver um homem que não se indigna por nada e que nada leva a mau. Porque, que mal lhe sobrevirá se fizer agora o que é próprio de sua natureza e aceitar o que é oportuno agora à natureza do conjunto universal, você, um homem que aspira a conseguir, pelo meio que seja, o que convém à comunidade?

14. Desprezando-se mutuamente, lisonjeiam-se uns aos outros, e querendo alcançar a supremacia mutuamente, e ainda assim se curvam uns aos outros.

15. Dizer a alguém: "resolvi ser franco com você" é uma corrupção, pura hipocrisia. Que faz, homem? Para que esse preâmbulo? Pelas provas será comprovado, sem necessidade de palavras. Na sua fronte está inscrito o que diz, pois é coisa de tal natureza que transparece nos olhos, no simples olhar. O homem bom e virtuoso é percebido assim que se aproxima, quer queira ou não. Mas a afetação da simplicidade é uma arma de duplo fio. Nada é mais abominável que a amizade do lobo. Acima de tudo evite isso. O homem bom, singelo e benévolo tem estas qualidades nos olhos e não as ocultam.

16. Viver da maneira mais elevada. Esse poder está na alma, caso seja indiferente às coisas indiferentes. E permanecerá indiferente, sempre que observar cada uma delas em separado, e em conjunto, tendo presente que nenhuma nos imprime uma opinião a respeito dela, nem tampouco nos sai ao encontro, mas sim estas coisas permanecem quietas, e nós somos quem produz os julgamentos sobre elas mesmas e, por assim dizer, as gravamos em nós mesmos, sendo possível também não as gravar, se o fizemos inadvertidamente, nos sendo possível as apagar imediatamente. Porque será pouco duradoura semelhante atenção, e a partir desse momento terá terminado a vida. Mas, o que tem de mau que essas coisas sejam assim? Se, pois, de acordo com a natureza, alegre-se com isso e seja fácil para você. E se for contrário à natureza, indague o que lhe corresponde de acordo com sua natureza e trabalhe-se em excesso em buscá-lo, embora careça de fama. Pois toda pessoa que busca seu bem particular é perdoado.

17. De onde veio cada coisa e de que elementos está formada, e no que se transforma, e como será, uma vez transformada, e que não sofrerá nenhum dano com a mudança.

18. E em primeiro lugar, qual a minha opinião em relação aos homens. Pois nascemos uns para os outros, e eu pessoalmente nasci, por outra razão, para me pôr à frente deles, como o camelo está à frente do rebanho e o touro à frente da vacaria. Então, indo mais longe, partindo desta consideração: "Se não são os átomos, é a natureza que governa o conjunto universal." Se for assim, os seres inferiores por causa dos superiores, e estes uns para os outros. E em segundo lugar, como se comportam na mesa, na cama e assim por diante. E, sobretudo, que necessidades sofrem, e de quais vaidades precisam! Em terceiro lugar, se com retidão fazem isto, não terás que incomodar-te, mas se não for assim, evidentemente o fazem contra sua vontade e por ignorância. Porque toda alma se priva contra sua vontade tanto da verdade como também de comportar-se em cada situação segundo seu valor. Por conseguinte, eles se ressentem se são chamados de injustos, insensatos, ambiciosos e, em uma palavra, capazes de faltar ao próximo. Em quarto lugar, que também você comete numerosas falhas e é uma característica também sua. E, embora é verdade que se abstém de certas faltas, tem, entretanto, uma disposição que o induz a cometê-las, embora por covardia, orgulho ou algum defeito lhe abstenha das mesmas. Em quinto lugar, nunca se sabe quando os homens cometem erros, pois muitas de suas ações, que parecem perversas, são feitas com boas intenções, ou pelo menos sem más intenções. É preciso conhecer várias circunstâncias antes de se pronunciare com segurança contra uma falta alheia. Em sexto lugar, pensa que a vida do homem é muito curta e dentro de pouco tempo, todos estaremos enterrados. Em sétimo lugar, que não nos incomodam ações alheias, pois ficam com seus agentes, a não ser nossas opiniões. Elimine, pois, e seja seu propósito o desprender do julgamento, como se tratasse de algo terrível, e livre-se da cólera, pensando que não o prejudica o que fazem os outros. Além de seu próprio vício, se alguma coisa lhe pudesse prejudicar, muitos erros forçosamente cometeria, seria um bandido, capaz de praticar vários crimes. Em oitavo lugar, quanto mais dolorosos são os acessos de raiva e as consequentes tristezas do que as coisas reais que produzem esses acessos de raiva e tristezas. Em nono lugar, que a benevolência seria invencível se fosse nobre e não zombadora de nenhum hipócrita. Porque, o que o faria o homem mais insolente, se fosses benévolo com ele e se, dada a ocasião, exortasse-lhe com doçura e lhe lecionasse pacificamente no preciso momento em que trata de lhe fazer um mal? "Não, filho; nascemos para outra coisa. Não temo que me danifique, é você quem se prejudica, filho." E lhe demonstre com delicadeza e inteiramente que isto é assim, que nem sequer as abelhas fazem, nem tampouco nenhum animal que nasceu para viver em manada. E deve fazê-lo sem ironias nem recriminações, a não ser com carinho e sem exacerbação de ânimo, e não como na escola, nem tampouco para que outro que se encontre a seu lado, admire. Antes bem, dirige-se a ele exclusivamente, inclusive no caso de que outros lhe rodeiem. Lembre-se destes nove preceitos capitais como dons recebidos das musas, e comece algum dia a ser homem, enquanto a vida permanece. E esteja muito alerta para não os bajular ou ficar zangado com eles, pois ambas as faltas podem causar danos, sendo prejudiciais. Recorde, nos momentos de cólera, que não é viril irritar-se, mas sim o é a tranquilidade e a serenidade que, ao mesmo tempo que é mais própria do homem, é também mais viril; esse é o caráter que tem força, tendões e valentia, não o que se indigna e está descontente. Porque quanto mais familiarizado esteja com a imperturbalilidade, tanto maior é sua força. E como a tristeza é sinal de fraqueza, também o é a raiva, pois ambos foram feridos e se renderam à ferida. E se quiser, tome também um décimo do bem do Musageta: que é próprio de loucos não admitir que os malvados cometam faltas, porque é uma pretensão impossível. Entretanto, convir que se comportem assim com outras pessoas e pretender que não faltem com você é algo absurdo e próprio de tirano.

19. Principalmente devemos guardamo-nos, sem cessar, de quatro separações do guia interior; e quando as descobrir, deve apartá-las falando com cada uma delas nestes termos: "Esta ideia não é necessária, esta é degradante da sociedade, esta outra que vai manifestar não surge de você mesmo". Porque manifestar o que não provém de você mesmo, considera-o entre as coisas mais absurdas. E a quarta separação, pela que reprovará a você mesmo, consiste em que a parte mais divina que se acha em você, esteja submetida e inclinada à parte menos valiosa e mortal, a de seu corpo e de seus rudes prazeres.

20. Seu elemento de espírito e todo elemento de fogo que está em você, embora por natureza tendam a se elevar, ainda assim se submetem à ordem do conjunto universal e são mantidos à força no seu corpo. E todos os elementos da terra e da água em você, apesar de sua tendência para baixo, são, no entanto, elevados e mantidos em uma posição que não é natural para eles. Dessa forma, então, os elementos estão submetidos ao conjunto universal, uma vez que lhes atribuiu um posto em algum lugar, e ali permanecem até que, desde aquele lugar, seja indicado de novo o sinal de dissolução. Não é terrível, pois, que só sua parte mental seja desobediente e se indigne com a posição que lhe foi atribuída? E na verdade nada violento lhe atribui, a não ser exclusivamente tudo aquilo que é para essa parte mental conforme à natureza. Mas não só não o tolera, mas também se encaminha em uma direção inversa. Porque o movimento em direção aos atos de injustiça, ao desenfreio, à ira, à aflição, não é outra coisa que um movimento de ruptura com a natureza. Também, quando o guia interior está descontente com algum dos acontecimentos, abandona seu posto, porque foi constituído não menos para a piedade e o respeito aos deuses que para a justiça. Porque essas virtudes constituem e formam a sociabilidade e são mais veneráveis que as ações justas.

21. Quem não tem um só e único objetivo na vida, é impossível que persista durante toda ela em unidade. Não basta o dito, se não acrescentar isto: Qual deve ser esse objetivo? Porque, do mesmo modo que não é igual a opinião relativa a todas as coisas que parecem, em certo modo, boas à sociedade, a não ser unicamente a respeito de algumas, como, por exemplo, as referentes à comunidade, assim também terá que propor-se como objetivo o bem comum ao cidadão. Porque quem represa todos seus impulsos particulares a esse objetivo, corresponderá com ações semelhantes, e segundo isso, sempre será o mesmo.

22. O camundongo da montanha e o da cidade; e o medo e a pressa deste último.

23. Sócrates chamava as crenças da multidão de espantalhos de meninos.

24. Os espartanos, em suas festas, estavam acostumados a colocar os assentos para os estrangeiros à sombra, mas eles se sentavam onde encontrassem espaço.

25. Sócrates explica ao Pérdicas que o motivo de não ir a sua casa era: "para não perecer à morte mais desgraçada", quer dizer, por temor a não poder corresponder com os mesmos favores que lhe teria dispensado.

26. Nos escritos dos efésios se encontrava uma máxima: "recordar constantemente a qualquer um dos homens de outrora que praticavam a virtude".

27. Os pitagóricos aconselhavam elevar os olhos ao céu ao amanhecer, a fim de que nos recordássemos dos corpos celestes que constantemente fazem sua tarefa, e também de sua ordem, sua pureza e nudez, pois uma estrela não tem véu.

28. Qual Sócrates envolto em uma pele, quando Xantipa tomou seu manto e saiu. E o que disse Sócrates a seus companheiros ruborizados e que se apartaram quando lhe viram assim vestido.

29. Na escritura e na leitura não será mestre antes de ter sido aluno. Isso é muito mais verdade em relação à vida.

30. "Escravo nascera, não lhe pertence a razão".

31. "Meu querido coração sorriu".

32. "Censurarão a virtude proferindo palavras insultantes".

33. "Pretender um figo no inverno é de loucos. Tal é o que busca um filho, quando, ainda, não é tempo".

34. Ao beijar seu filho, dizia Epiteto, deve dizer para si mesmo: "Amanhã talvez morra." "Isso é mau presságio". "Nenhum mau presságio, respondeu, a não ser a constatação de um fato natural, ou também é mau presságio ter colhido as espigas."

35. "Uva verde, uva amadurecida, passa, tudo é mudança, não para o não ser, a não ser para o que agora não é".

36. "Não se chega a ser bandido por livre intuito." A máxima é do Epiteto.

37. "É preciso, disse, encontrar a arte de assentir, e no terreno dos instintos, velar pela faculdade da atenção, que eles podem ser controlados com reserva, ser sociais, e você deve se controlar em seus impulsos e não sentir aversão por nada que não esteja no seu próprio controle.

38. "Não trata, em efeito, o debate de um assunto de azar, disse, a não ser a respeito de estarmos loucos ou não."

39. Dizia Sócrates: "O que querem? Ter almas de seres racionais ou irracionais? De seres racionais. De que seres racionais? Sãos ou maus? Por que não as buscam? Porque as temos. Por que então lutam e disputam?"

Qual o estado de corpo e de alma em que um homem deve se encontrar quando for surpreendido pela morte? Pense na brevidade da vida, no abismo do tempo futuro e passado, na fragilidade de toda matéria.

Livro 12

1. Todos os objetivos que deseja alcançar em seu progresso, pode já os ter se não prejudicar a você mesmo. Quer dizer: caso abandone todo o passado, deposite na providência o futuro e cuide apenas do presente, segundo as regras da piedade e da justiça, exclusivamente.

Para a piedade, que ame o destino que lhe foi atribuído, pois a natureza o projetou para você, e você para ele. Para a justiça, diga a verdade livremente e sem artifícios e proceda conforme a lei e de acordo com a importância das coisas, não se permitindo deter pela malícia alheia nem pela opinião ou discursos de quem quer que seja, tampouco pelos apelos das sensações do corpo que o aprisiona. Se, pois, no momento em que chegar o término de sua vida, abandona todo o resto, exclusivamente as honras, em função do seu guia interior e à divindade que está dentro de você; se temer nunca ter começado a viver de acordo com a natureza, será um homem digno do mundo que o engendrou e deixará de ser um estranho para a sua pátria e também de admirar como coisas inesperadas os sucessos cotidianos, e de estar dependente disto e daquilo.

2. Deus vê as almas em sua pureza, livres de todos os seus envoltórios materiais, de suas cascas e de suas impurezas; porque graças a sua inteligência exclusiva, tem contato só com as coisas que derivaram e emanaram dele, desde o princípio. E se também se acostuma a fazer isso, diminuirá muito os seus anseios, pois o que não se dedica em atender o envoltório de carne que lhe circunda não perderá tempo contemplando vestidos, casa, fama, ou outros adornos supérfluos.

3. Três são as coisas que o compõem: corpo, sopro de vida e inteligência. Destas, apenas duas coisas lhe pertencem, na medida em que deve se ocupar delas. Só a terceira é propriamente sua. Caso tirem de seu pensamento tudo quanto os outros fazem ou dizem, ou quanto você mesmo fez ou disse e tudo que o perturba e, independentemente de sua vontade, está vinculado ao corpo que o rodeia ou ao seu sopro de vida e também tudo o que vem do turbilhão exterior que agita ao seu redor, de maneira que sua força inteligente, liberta do destino, pura e sem ataduras possa viver praticando a mesma justiça, aceitando os acontecimentos e professando a verdade; se retirar, separando de sua alma, tudo o que provém dos desejos, o futuro e o passado, e faz a você mesmo, como Empédocles, "uma esfera redonda, perfeita e satisfeita na sua plenitude solitária", e se ocupar em viver exclusivamente o presente, poderá ao menos viver o resto de sua vida até a morte, sem confusão, benévolo e propício com sua divindade interior.

4. Muitas vezes me perguntei, com admiração, como cada um leva mais em consideração a opinião dos outros do que a de si mesmo. E, por exemplo, se um Deus ou um sábio mestre ordenasse a alguém que refletisse o seu interior e traduzisse em palavras tudo quanto concebesse ou pensasse, nem sequer um só dia aguentaria, tanto prezamos mais pela opinião dos outros do que a nossa.

5. Será que os deuses, que um dia dispuseram em ordem todas as coisas harmoniosamente e com amor para os homens, puderam descuidar só este detalhe, ou seja, que alguns homens extremamente bons, depois de ter estabelecido com a divindade vários pactos e depois, graças a sua piedosa atuação e a seus sagrados cultos, foram por muito tempo ligados à divindade, uma vez que morreram, já não retornam de novo, pois se extinguiram para sempre? Sendo a condição humana dessa maneira, saiba que se fosse diferente e os deuses precisassem proceder de outro modo, assim fariam. Porque se tivesse sido justo, teria sido também possível, e se fosse de acordo com a natureza, esta o teria feito. Portanto, se as coisas não procedem dessa maneira – e de fato não procedem – convença-se de que não é preciso que aconteça desse modo. Porque você mesmo vê também que ao desejar da sua maneira as coisas que acontecem, disputa com a divindade, e não dialogaríamos assim com os deuses, por não serem eles muito bons e muito justos. E se for assim, não teriam permitido que nada na ordenação do universo fosse negligenciado de maneira injusta ou irracional.

6. Procure adquirir habilidade naquilo que se acha desajeitado, porque também a mão esquerda, devido a sua falta de costume, é inábil, e, entretanto, sustenta com mais poder o freio que a direita, pois foi habituada a isso.

7. Qual o estado de corpo e de alma em que um homem deve se encontrar quando for surpreendido pela morte? Pense na brevidade da vida, no abismo do tempo futuro e passado, na fragilidade de toda matéria.

8. Contemple as causas nuas de suas aparências; a finalidade das ações. O que é a dor, o que é o prazer, o que é a morte, o que é a fama? Quem não é o culpado do seu próprio sofrimento? Ninguém causa obstáculos a ninguém. Por isso tudo é opinião.

9. No uso dos princípios devemos ser como o pugilista e não como o gladiador; a este basta largar a espada que maneja e está morto; aquele tem sempre a mão e não precisa mais do que fechá-la.

10. Ver o que são as coisas em si mesmas, analisando-as em sua matéria, em sua forma e em seu propósito.

11. Grande é o homem que cuida de não fazer o que vai contra a divindade, e aceita tudo o que Deus lhe atribui. Isso é estar em harmonia com a natureza!

12. Não deve se queixar dos deuses; porque nenhuma falta cometem voluntária ou involuntariamente. Tampouco se queixar dos homens, porque não falham voluntariamente. Dessa maneira, a ninguém deve se queixar.

13. Quão ridículo e estranho é o homem que se admira com qualquer coisa que acontece na vida.

14. Ou uma necessidade do destino e uma ordem inviolável, ou uma providência compassiva, ou um caos fortuito, sem direção. Se se tratar de uma necessidade inviolável, a que oferece resistência? E se há uma providência que aceita ser compassiva, faça a você mesmo merecedor do socorro divino. E se há um caos sem guia, conforme-se, porque em meio de um fluxo de tal índole dispõe em seu interior de uma inteligência guia. Embora o fluxo o arraste,

arraste sua carne, seu sopro vital, e o resto, porque não arrastará ao menos sua inteligência.

15. A luz de uma lamparina, até se extinguir, brilha e não perde seu fulgor. Desaparecerão com antecedência a verdade que reside em você, a justiça e a prudência?

16. Ao achar que alguém cometeu alguma falta: "O que sei eu se isso é mesmo uma falta?" E se realmente cometeu uma falta: "ele mesmo já se condenou". E assim isto é semelhante a rasgar o próprio rosto. Aquele que não quer que o homem mau faça o mal, assemelha-se ao que não aceita que a figueira produza figos, que os recém-nascidos chorem, que o cavalo relinche e quantas outras coisas são inevitáveis. O que pode acontecer quando a gente tem uma disposição tal? Se em efeito é veemente, cuida essa maneira de ser.

17. Se algo não é justo, não faça; se não for verdade, não diga; que essa iniciativa seja sua.

18. Em tudo ver sempre o que lhe causa as impressões das coisas e tratar de desenvolvê-las, analisando-as em sua causa, em sua matéria, em sua finalidade, em sua duração temporária, no transcurso da qual será preciso que tenha seu fim.

19. Perceba, cada vez mais, que você possui dentro de si algo mais forte e mais divino do que as paixões que o agitam como uma marionete. Qual é agora o meu pensamento? De temor? De receio? De ambição? É outra paixão semelhante?

20. Em primeiro lugar, não fazer nada ao acaso, nem tampouco sem uma finalidade. Em segundo lugar, não projetar suas ações a outro fim que não seja o bem comum.

21. Em breve ninguém estará mais em nenhuma parte, nem tampouco verás nenhuma dessas coisas que agora estás vendo, nem nenhuma dessas pessoas que na atualidade vivem. Porque todas as coisas nasceram para transformar-se, alterar-se e destruir-se, a fim de que nasçam outras a seguir.

22. Que tudo é opinião e essa depende de você. Acaba, pois, quando quisere com sua opinião, e do mesmo modo que um marinheiro atravessa a tormenta do cabo, surge a calma e tudo fica quieto e o golfo sem ondas.

23. Nenhuma ação que cessou no momento oportuno nenhum mal sofre por ter cessado; tampouco quem executou esta ação sofre mal algum. Do mesmo modo, em efeito, o conjunto de todas as ações que constituem a vida, quando cessa no momento oportuno, nenhum mal experimenta pelo fato de ter cessado, nem tampouco o que pôs fim oportunamente a este encadeamento sofre mal algum. É a natureza que marca esse prazo, esse limite. Às vezes a natureza particular do ser, pela velhice, às vezes a natureza do Todo, pela renovação das partes, que lhe permite conservar o verdor e a juventude constantes do mundo na sua totalidade. E tudo o que convém ao conjunto universal é sempre belo e está em maturação. Assim, pois, o término da vida para cada um não é um mal, e tampouco uma injustiça, pois não está sujeito a nossa eleição e não contém nada contrário à vantagem comum, e sim é um bem, porque é oportuno ao conjunto universal, vantajoso e adaptado a ele. Assim, se comporta de acordo com Deus em tudo, é inspirado por um sopro divino e é levado, graças a sua reflexão, a seus mesmos objetivos.

24. É preciso ter em mão três pensamentos. O primeiro é em relação ao que tem que fazer. Tudo que o fizer, que não seja sem nenhum plano, nem contrariamente à justiça. Em relação aos sucessos exteriores, pensa que acontecem ou por acaso, ou por uma providência, e não deve censurar ao acaso nem recriminar a providência. Em segundo lugar, pensa como é cada um desde que é engendrado até a posse da alma, e desde esta até a devolução da mesma. Pensa também de que elementos se compõe e em quais se dissolverá. Em terceiro lugar, pensa que se pudesses se elevar aos ares, examinaria as coisas humanas em suas diversidades, e simultaneamente a multidão de seres que povoam o espaço; e quantas vezes subisse, tantas veria as mesmas coisas, repetidas e fugazes. De que vale a vaidade humana?

25. Suprima a opinião e estará livre. Quem, pois, o impede de agir assim?

26. Sempre que se incomodar com algo, está esquecendo que tudo se produz de acordo com a natureza do conjunto universal, e também que a falta é alheia a esse conjunto. Além disso, que tudo o que está acontecendo, assim sempre acontecia e acontecerá, agora e em qualquer parte. O homem se liga a todo gênero humano não pelo sangue ou pelo nascimento, mas pela comunhão da inteligência. E esquece deste modo que a inteligência de cada um é um deus e emana da divindade. Que nada é patrimônio particular de ninguém; antes bem, que filhos, corpo e também a mesma alma vieram de Deus. Esquece também que tudo é opinião; que cada um vive unicamente o momento presente, e isso é o que se perde.

27. Lembre-se sem cessar dos que se indignaram em excesso por algum motivo, aos que alcançaram a plenitude da fama, das desgraças, dos ódios ou dos azares de toda índole. Seguidamente, pergunte-se: "Onde estão agora?". Fumaça, cinzas, lenda ou nem sequer lenda. Recorde-se de quantos casos assim, quem foi Fábio Catulino na campanha, Lucio Lupo em seus jardins, Estertínio em Bagos, Tibério no Capri, Vélio Rufo e, em soma, a superioridade presunçosa em qualquer assunto. Quão mesquinho era todo o objetivo de seus esforços. E é próprio de um filósofo ser justo, moderado, oferecer-se simplesmente submisso aos deuses na matéria concedida! Porque a vaidade que se exalta sob capa de modéstia é a mais insuportável de todas.

28. Aos que perguntam: "Onde viste os deuses, ou de onde chegaste à conclusão de que existem, para venerá-los assim?". Em primeiro lugar, são visíveis a nossos olhos. E logo, tampouco eu vi alma e, entretanto, honro-a; assim também em relação aos deuses, pelas mesmas razões que comprovo seu poder repetidas vezes, por estas constato que existem e os respeito.

29. A salvação da vida consiste em ver inteiramente o que é cada coisa em si mesma, qual é sua matéria e qual é sua causa. Em praticar a justiça com toda a alma e em dizer a verdade. O que fica então a não ser desfrutar da vida, travando uma boa ação com outra, até o ponto de não deixar entre elas o mínimo intervalo?

30. Uma só é a luz do sol, embora a obstaculizem muros, montes, incontáveis barreiras; única é a substância comum, embora esteja dividida em inumeráveis corpos de qualidades peculiares; una é a alma, embora esteja dividida em infinidade de naturezas e delimitações particulares. Uma só é a alma inteligente, embora pareça estar dividida. As restantes partes mencionadas, como os sopros e os objetos sensíveis, carecem de sensibilidade e não têm relação de parentesco mútuo; entretanto, também aquelas contêm o poder unificador e o peso que as faz convergir. E a inteligência em particular tende ao que é de seu mesmo gênero, e lhe une, e esta paixão comunitária não encontra impedimentos.

31. O que pretende? Seguir vivendo? Perceber as sensações, os instintos? Crescer? Cessar de novo? Utilizar a palavra? Pensar? Que coisa entre essas lhe parece que vale a pena sentir falta? E se cada uma delas lhe parece bem desprezível, incline-se finalmente a ser submisso à razão e a Deus. Conquanto tal culto seja incompatível com o temor de ser privado do resto pela morte.

32. Que parcela do tempo infinito foi concedida a cada um de nós? Pois rapidamente se desvanece na eternidade. E que pequena parte do conjunto da substância, e que ínfima também do conjunto da alma? E em que diminuto torrão do conjunto da terra você se arrasta? Considere todas essas coisas e imagine que nada é importante, a não ser atuar como sua natureza indica e experimentá-lo como a natureza comum suporta.

33. Como se serve de você o guia interior? Que nisso radica tudo. E o resto, dependa ou não de sua livre eleição, é cadáver e fumaça.

34. O que mais o estimula a desprezar a morte é o fato de que os que julgam o prazer um bem e a dor um mal, a desprezaram também.

35. Aquele que só vê o bem no que se passa no tempo devido, a quem é indiferente realizar maior ou menor número de ações em conformidade com a razão, a quem tanto faz poder contemplar o mundo por mais ou menos tempo, esse nada teme, nem mesmo a morte.

36. Bom homem, foi cidadão nesta grande cidade! O que se importa, se foram cinco ou três anos? Porque o que é conforme às leis, é igual para todos e cada um. Por que seria terrível que se desterrasse da cidade, não um tirano, nem um juiz injusto, a não ser a natureza que o introduziu? É algo assim como se um empresário que contratou um comediante, despedisse-o da cena. "Mas não representei os cinco atos, a não ser só três". "Tem razão, mas na vida os três atos são um drama completo". Quem marca o final é aquele mesmo que outrora foi autor da criação e hoje é o senhor da dissolução. Você mesmo não colaborou nem com a criação nem com a dissolução; assim sendo, vá embora satisfeito, como satisfeito está aquele que lhe despede.